選ばれる園になるための実践マニュアル

編著／柴田豊幸・戸村隆之

はじめに

平成27年度からの「子ども・子育て支援新制度」による制度の変更は、幼稚園・保育園・認定こども園（以降、総称して「園」とします）の今までにない大変革といわれています。

園の保育料は一部の幼稚園を除き将来的には公定価格制度になり、一部上乗せ徴収する園を除き、同じ市町村では保護者は所得に応じてどの園に行っても同額の保育料を市区町村（園）に払うことになり、同じ保育料での競争になります。

また、保育や教育の内容については、園が基本的に実行しなければならない要領・指針の内容がほとんど変わらないため、そのなかで各園独自の特徴を出していく必要があります。

園の選択についても、どこの園を選ぶのかは保護者に委ねられます。待機児童がいる地域は市区町村が利用調整をして園を決めますが、待機児童がいなくなれば保護者が園を選べます。これにより、市場原理の導入による「競争による質の向上」が求められるようになります。

これから園が生き残っていくためには、保護者から「選ばれる園」にならねばなりません。

その一方で少子化、待機児童やその対策としての株式会社立園の増加など、園を取り巻く状況は大きく変化しています。こうしたなかで、「子どもの最善の利益」より、一部ですが目先の利益を優先する園が増えてきていることに、私たちは危機感を抱いています。

園児獲得競争も、これまで以上に激化していくことでしょう。目先の利益ではなく、「子どもの最善の利益」を追求している園のよさを保護者が理解してくれればよいのですが、現状では、なかなかむずかしいようです。

本書は、「子どもの最善の利益」を追求し、真摯に保育・教育に取り組んでいる園にこそ保護者に「選ばれる園」になってほしいという思いから作成しました。

「選ばれる園」になるためには、条件があります。

まず、園の理念がはっきりとしていることです。

次に、保護者のニーズを満たしていることです。

さらに、それを保護者にじょうずに伝えていくことです。

そこで本書では、第１章で「選ばれる園」とはどのような園か、どのような工夫をしているかを紹介しています。もちろん、これらはひとつの例ですから、すべてを実行する必要はありません。園の理念や状況に合わせ、「これは」と思う項目を参考にしてください。そして、自園に合わせたアレンジを加えることで、オリジナリティを追求していただけたら幸いです。

第２章では、「選ばれる園」になるためのトータルプラン（経営計画）の立て方をご紹介します。

第１章で紹介した項目は、表面的に実行しても、いずれうまくいかなくなります。園の経営理念をしっかりもち、そこに向かって園の経営計画をつくり、実行していかなければなりません。そこには園の経営・経営計画への理解と総合的、系統的、時系列的な視点が必要となります。

付録として、トータルプランのための書式集も掲載しました。コピーして利用していただくこともできますし、ホームページからダウンロードできるデータもご用意しています。

本書をお読みになり、「子どもの最善の利益」を追求する園が保護者に選ばれるようになること、それとともに「子どもの最善の利益」を追求する園が多数派となっていくことを切に祈ります。

柴田豊幸
戸村隆之

選ばれる園になるための実践マニュアル

目次

第1章

こんな園が選ばれている

選ばれる園が実行していることは？

「選ばれる園」になるためには、どうしたらよいのでしょうか。

それには、保護者がどのような流れで園を選んでいるのかを知る必要があります。

たいていの場合、保護者はまず、子どもが通える範囲の園の情報を集めます。次に、理念や方針が家庭の希望と合致している園を探します。そして、いくつかの園の見学や説明会に出かけ、実際に目で見て確かめます。つまり、この流れのそれぞれの段階で、保護者のニーズに合わせた工夫が必要だということです。

また、厚生労働省は、保育園選びをする保護者に向けて、「よい保育施設の選び方 十か条」（平成 12 年 12 月）を示しています（74 ページ参照）。待機児童解消の名のもとに次々と現れる保育サービスのなかで、経営の不備によって起こってしまった事件や事故をふり返ったときに、保護者側にも「保育の専門性」とは何かを問いかける必要性が出てきたからです。どのような視点をもって園を選べばよいか、保護者を啓発するための資料となっています。逆に、この資料を園の側から見たときに、真の意味で「選ばれる園」とは、どのような園のことをいうのかが見えてくるでしょう。

そこで、これらを元にチェックリストを作成してみました。リストにチェックをしていくと、見落としている点や力を入れたい点が見えてきます。

第１章では、項目ごとに様々な観点から、保護者のニーズに合わせた「具体例」を紹介していきます。園の理念や方針、状況と照らし合わせながら参考にしてください。

選ばれる園になるためのチェックリスト30

まずは、保護者が園を選ぶときの「見る」「聞く」「調べる」際のポイントについて、押さえておきたい30項目を挙げてみました。チェックしていくと、あなたの園の強みと弱みが見えてくるでしょう。

■情報提供

□園の理念をわかりやすく発信している

□自治体への情報提供を欠かさずおこなっている

□ポスターや看板を効果的に利用している

□園案内のパンフレットなどをつくっている

□ホームページがある

□園バスを看板のひとつとして利用している

□職員・スタッフの構成と資格・能力を伝えている

□保育内容や園行事について伝えている

□近隣園と差別化できる保育活動がある

□保育時間や体制について詳しく伝えている

□園設備の工夫について伝えている

□入園や保育にかかる費用を明確に伝えている

■職員育成

□園内研修をしっかりおこない、
保育の向上に努めている

□スキルアップを図るため、
職員に園外研修を推奨している

□時代に対応した資格や知識をもつ職員を
採用・育成している

□園の理念を職員全体で共有している

□人事考課をおこない、
職員のモチベーション向上を図っている

■見学希望者対応

□見学者の受け入れを積極的におこなっている

□見学会や入園説明会を開催している

□職員が身だしなみやマナーを守っている

□職員が基本的なコミュニケーション能力を
備えている

□職員同士の人間関係が良好で、
温かい雰囲気がある

□日常の在園児・保育者の様子が
見られるようにしている

□疑問・相談のための窓口を設けている

□地域に根付いた、開放的なイメージがある

■設備・備品

□設備や備品の美観やメンテナンスに努めている

□子どもが過ごすスペースが十分に確保されている

□子どもの発達に合わせた
遊具や玩具、教材などがそろっている

□災害や事故など、安心安全への対策が万全である

□送迎システムなど保護者との連絡体制が
しっかりしている

園の理念は共有できていますか？

❶園の理念がわかりやすい

❷理念に沿った具体的な活動をしている

❸職員全員が理解し、説明できる

園の理念は、「何を目指しているのか」「何のために存在するのか」という園の保育のあり方を示します。例えば、創立者の思いや信奉する教育法（モンテッソーリ、シュタイナー等）、宗教法人が母体の園であればその宗教観など、園が子どもを育てるうえでいちばん大事にしていることを示します。自分の理想に近い理念をもつ園を探している保護者にとっては重要な情報となります。

そのため、だれにでもわかりやすい理念を示すことがポイントになります。例えば、設立当初にかかげたものが、時代にそぐわず生かされていない場合は、理念そのものの再構築が必要になります。

理想的な形は、その理念が保育・教育などの園の目標に反映され、かつ職員全員に正しく理解されていることです。そのためには、職員全員が理念に沿った保育を実践できるよう、会議や研修等で理念の理解と共有化を図る必要があります。

また、経営計画および保育計画に正しく反映し、日々の活動に適切に落とし込めるように、具体的な方法論を学ぶ機会をつくる必要もあります。

職員全員が十分に理解し説明できるようになってはじめて、保護者に伝えやすくわかりやすい園の理念となるでしょう。長い歴史のある園では、設立当時にかかげたものを大切にしたいという思いもあるでしょう。しかし、時代に即したものでなければ保護者の理解が得られません。根底に流れる園の理念は大切にしながらも、古い文体や保育業界特有の言い回しではなく、平易な言葉で表現することが必要です。

園の理念の生かし方

園の理念

内容を見直す

●理想とする保育を
　過不足なく表現する。

●時代に即したものにする。

文体・文章を見直す

●創立当時の古い文体は、
　現代風の言葉に表現し直す。

●修飾語を多用しない。

●要素を分けて箇条書きにする。

●だれもが理解できる、
　平易な言葉を使う。

●抽象的な表現を避ける。

広報・宣伝に活用する

・園案内・パンフレット
・入園説明会
・ホームページ

園内で活用する

・保育活動とのリンク
・園内マニュアル（人材育成）

保育形態のこだわりを伝えていますか？

❶子どもが生き生きと楽しんでいる
❷行きすぎた活動になっていない
❸職員全員が理解し、説明できる

「どのような子どもに育てたいか」という園の理念を形にしたもののひとつが、保育形態です。保護者は、保育形態を知ることで、園での子どもの生活の様子が具体的に想像できます。入園を検討している保護者にとっては、園の理念と同じく園選びの重要なポイントになります。

保育形態には、大きく「一斉保育」「自由保育」がありますが、例えば、「一斉保育」を採用しているからといって、自由活動を設けていないわけではないでしょう。また、ほかにも「解体保育」「縦割り保育」「混合保育」など、集団活動のあり方に様々な工夫を凝らしている園も多くあります。

保護者からみたとき、こうした保育形態の違いが子どもの成長にどのような影響を及ぼしていくのか、また園がどのような点にこだわりをもって現状の保育形態を採用しているのかが、知りたいことでしょう。

保護者に伝える前に、まずはそれぞれの保育形態の長所と短所を洗い出してみます。長所は、そのまま保護者に積極的にアピールします。

一方、短所は保護者の不安材料になり得る部分なので、慎重に扱います。どのような工夫でその短所を補っているか、あるいは短所を超えてよい結果が得られているか、具体的に伝えていくとよいでしょう。

いずれにしても、保護者にぜひ伝えたいのは子どもが生き生きと楽しんで生活している姿です。子どもが「やらされている」活動になっていないか、こだわりをもちすぎて偏った活動になっていないか、客観的な視点で眺めてみましょう。

様々な保育形態

保育形態の長所と短所

●一斉保育

保育者が計画した活動を同一の時間・場所・方法で一斉に経験させる保育

長所
集中力が育つ
意欲が育つ
忍耐力が育つ　など

短所
コミュニケーション能力が育ちにくい
指示がないと動けない
自由な発想ができない　など

●自由保育

子どもの興味・関心に基づく自主的、自発的活動中心の保育

長所
自主性が育つ
問題解決能力が育つ
思いやりや感謝の心が育つ
創造力が育つ　など

短所
自己主張が強くなる
集中力が育ちにくい　など

こんな保育形態もあります

●解体保育

同一年齢の子どもによる枠にこだわらず、子どもの興味・関心・行動の仕方などから自由に子どものグループをつくって活動する保育。

●異年齢保育・縦割り保育

異年齢での保育で、２～３学年にわたる編成で活動する保育。

職員構成と配置を伝えていますか？

❶クラス編成や職員・担任の数や資格を明示している
❷おたよりや園内掲示などに職員紹介の工夫がある
❸職員構成の特徴や、よい面を伝えている

「どんな先生に子どもを預けることになるのか」は、保護者にとって重大な関心事です。なぜなら、先生の資質次第で、子どもの成長や園生活の良し悪しを大きく左右することになるからです。

そこで、園としては、職員構成や配置を万全にする努力はもちろんですが、保護者が安心して子どもを預けられるように、職員に関する情報をきちんと伝えていくことが大切になります。

まず、職員の人数や年齢（経験年数）、所持資格などの基本情報は、入園案内やホームページ、園内掲示などに明示します。いわゆる「先生」以外の職員――栄養士、調理師、看護師、用務員など専門職員の情報も大切です。また、クラス編成および担任の数、フリーの保育者の存在などの情報も明らかにしましょう。

在園児の保護者であっても、担任以外の職員について「知りたいけれど、どんな先生がいるのかよくわからない」という場合も多々あります。玄関など保護者の目にふれやすいところに職員紹介を写真とともに掲示したり、新年度のおたよりには全職員の紹介を載せ、保護者が正しく職員を把握できるようにするなどの工夫が必要です。

その際、職員構成や人数などに特徴があれば、そのプラス面をアピールしていくのもよいと思います。

なお、職員構成においては、若手からベテランまで経験年数の幅が広くバランスがとれているのが理想ではありますが、それがかなわないこともあるでしょう。その場合も、よい点を見つけ、積極的にアピールしていくことは大切です。

伝え方の工夫

職員をわかりやすく紹介する

・入園案内やホームページで紹介する。
・園内掲示を工夫する。
・おたよりに職員の紹介記事を載せる。

職員構成のプラス面は積極的に伝える

・経験年数のバランスがとれている。
・男性保育者がいる。
・特別な資格（例えば臨床心理士、リトミック指導員など）を有する職員がいる。
・特技（昆虫に詳しい、スポーツが得意など）を有する職員がいる。

魅力的な伝え方

専門職員の存在を強みにする

・栄養士、調理師、看護師、用務員などの専門職員が保育の質を上げることを伝える。
・子どもを見守る存在として、いろいろな立場の職員がいることのよさを伝える。

職員の育成に力を入れていますか？

❶身だしなみやマナーが守れている

❷コミュニケーション能力がある

❸専門性を高めるサポート・研修をおこなっている

保育者は、日々の保育のなかで専門性を高めていくこともできますが、さらなる資質向上のためには、定期的な研修も必要です。特に保護者間では、保育者の評価が話題になることが多く、マイナス面ばかりが大きく取り上げられるようなことは避けたいものです。

そのためには、保育者としてだけでなく、社会性のある大人として保護者とかかわれているかどうかが重要です。まずは、職員のマナーを見直すことから始めてみましょう。

園にはじめてコンタクトをとってきた保護者をがっかりさせるようなことがないように、対応する職員の印象には最も注意を払いたいものです。

例えば、電話の受け答えは明るく感じよくできているか、敬語の使い方は適切か、質問にはしっかり答えられているか、しぜんな笑顔できちんとあいさつができているか、身だしなみや言葉づかいは好感を得られるものかどうかを注意してみます。

保育者が華美すぎることは問題視されますが、反対に無頓着な場合も問題です。線引きがむずかしい場合は、禁止事項を決めたり、制服を採用するなど、具体的な方法を決める必要があるかもしれません。

職員のコミュニケーション能力については、笑顔で対応することはもちろん、保護者の話をよく聞き、気持ちに寄り添うことなど、コミュニケーションのために必要な基本事項を職員間でも実践してみるとよいでしょう。また、子どもの発達に関する悩み相談やクレーム対応など専門性が問われる場面もあります。園外研修を利用してでも専門性を高めていくことが、保育者にも求められています。

職員の資質向上のチェックポイント

職員が一般的なマナーを身につける

□正しい言葉づかいで話せる

□敬語が使える

□ハキハキと明るい笑顔であいさつできる

□お礼とお詫びをきちんと伝えられる

□望ましい身だしなみをしている

園内・外研修で、職員の意識を高める

□経験年数や立場にかかわらず、気軽に意見交換できる雰囲気をつくる

□職員それぞれが研究、発表できるような環境づくりを心がける

□外部の講師を招き、あるいは外部の講習に出かけて学ぶ機会を設け、知識を得る

□職員の育成について、外部の講師に客観的な視点から指摘してもらい、改善に努める

研修で専門性を磨く

□職員それぞれの興味や能力を配慮しつつ、園の保育で補いたい分野について強化する
　例）食育指導士、救急法救急員、こども環境管理士　など

□職員それぞれの苦手分野に応じて研修を受け、克服する

□保育者向けの研修のほか、広い分野の研修を対象とする
　例）ビジネスマナー、話し方、コミュニケーション、心理カウンセリング　など

送迎時を大切にしていますか？

❶保育者が子どもにていねいに接している

❷保護者への配慮がある

❸送迎時間の変更など、連絡体制がしっかりしている

保育者と保護者が顔を合わせる送迎時。保護者との関係づくりのきっかけになるので、上手に利用したいものです。

保護者は、保育者と子どもとのやりとりをしっかり見ています。そして、保育者の人柄や日常の保育のありかたを判断します。例えば、保護者には気を使っていても、子どもには、つい乱暴な言葉づかいになったりする保育者も少なくありません。慌ただしいときだからこそ、保育に対する心構えがしっかり見えてしまいます。もし保育経験が少なくても、子どもを大切にしてくれていると感じられることが保護者の安心感と信頼につながります。

また、その日の子どもの様子を直接伝えることも大切です。幼稚園などでお迎えが一斉の場合でも、できるだけ一人ひとりに「今日は、○○ちゃん、こんなふうにあそんでいましたよ」などと具体的に伝えましょう。また、この機会に保護者の様子に気になるところがないか観察し、育児に悩みを抱えているようであれば、「困っていることがあれば、一緒に考えていきましょう」などと声をかけるようにしましょう。

保育園などで送迎時に担任が対応できない場合でも、だれもが子どもの様子を伝えられるように情報を共有しておきましょう。忙しいなかでの情報の共有には工夫が必要ですが、簡単に記入できる記録表などをつくり、手間や時間をかけずに正しい情報を提供できるとよいでしょう。

なお、けんかやけがなど、トラブルの報告は、担任が責任をもって伝えるようにします。送迎時に伝えられない場合は連絡帳や電話などで、必ず説明するようにしましょう。

送迎時の注意点

朝、別れられない子の対応

親子の関係をよく観察したうえで対応する

入園当初の場合

- すぐに親と引き離さず様子をみる。
- 「よくあること」「安心して預けてほしい」と伝えることで親を安心させる。
- 保護者との関係がよかったからだと伝えて保護者に自信をもたせる。
- 別れるのに時間がかかった場合などは、子どもが落ち着いたころ、保護者に様子を伝える連絡を入れられるとよい。

入園からしばらく経っている場合

- 保護者の不安な気持ちを受け止める。
- 最近の家庭での様子や気になることなど、保護者から話を引き出す。
- 今後の対応について保護者と一緒に考えていく姿勢を見せる。
- 必要があれば、専門家への相談も視野に入れて提案する。

登園降園時の声かけ

- できるだけ一人ひとりの保護者に声をかけるようにする。
- その日の子どもの様子をひと言でもよいので伝える。
- 保育園やバス通園など送迎時に担任が対応できない場合も、だれでも子どもの様子が伝えられるように情報を共有する。
- 写真やビデオの展示などでその日の活動の様子を知らせるコーナーを設置する。
- けんかやけがなどトラブルの報告は担任がおこなう。直接伝えられない場合も、電話や連絡帳などで誠実な対応を心がける。

送迎システムを見直す

- 地震や台風など自然災害時、事件や事故など緊急時の送迎について、よりスムーズで安全な方法を検討する。
- 保護者との連絡がよりスムーズにいくよう、メールシステムの採用を検討する。
- 送迎の変更など、職員間での情報共有の仕組みが適切に運営されているかを見直す。

乳児の送迎対応を見直す

- 乳児の場合、保護者が荷物の受け渡しやセッティングがしやすいよう、保育室の動線を見直す。
- 送迎時に、ほかの保護者の姿が見えると落ち着かない乳児は多いので、子どもの気持ちが安定するよう保育室のレイアウトを見直す。

おたより帳を活用していますか？

❶利用方法の説明がしっかりできている
❷保護者の質問や要望にしっかり返信している
❸書き込みしやすく、扱いやすい仕様になっている

「おたより帳」とひと口にいっても、様々な形態のものがあります。例えば、市販のものでいうと、子どもが登園した日にシールを貼るもの、保護者と保育者が連絡事項を書き込めるもの、子どもの身長・体重など成長記録が書き込めるものなどがあります。

また、園オリジナルのものだと、保育者が手づくりしたり、市販のノートを利用する場合もあります。やりとりの方法も、毎日だったり、週ごと月ごとなどの定期でおこなうものなど様々です。

これだけ様々な種類があるということは、どの形態を選んだらよいかは状況によって左右されるということです。目の前の子どもの様子、発達の状況、園の保育内容などから、いちばんふさわしい形態を選べているかどうか確認してみてください。

いずれも保護者にとっては大切な育児の記録であり、卒園後も大切にしているケースは少なくありません。そして、園にとっては、保護者と良質なコミュニケーションを図るための大切なツールだといえます。魅力あるおたより帳によって、園への信頼度が高まるでしょう。

逆に、せっかくおたより帳があっても、うまく活用できていないようであれば、宝の持ち腐れです。また、保育者のコメントが保護者の質問や相談に答えていなかったり、どの子にも同じコメントをしていることが明らかな文面だったりなどの場合は、保護者の不信を買うきっかけにもなります。

また、個人情報保護の観点から、取り違えや紛失などには細心の注意を払い、慎重に取り扱う必要があります。

おたより帳の活用方法

年齢や目的に合ったおたより帳を採用する

カレンダー式。
登園日にシールを貼る。

複写式で、
家庭と園の両方に記録が残る。

食事や排泄など、
1 日の生活習慣が記入できる乳児向け。

フリーで書き込めるノート。
連絡事項があったときのみ利用するなど。

入園時に使い方を説明する

保護者の確認印等の必要の有無
やりとりの頻度
連絡やコメント欄には何を書くのか　など

コメントに工夫する

●保護者の質問や相談には、
　時間を空けず答える。
●すぐに解決しない質問や相談の場合でも、
　必ず何らかのレスポンスをする。
●その子ならではのエピソードを書く。

おたよりを発行していますか？

❶ていねいに発信している（時期・頻度・内容・正確さ）

❷子どもの姿を伝えている

❸誤字・脱字に気をつけて、読みやすい字で記入している

園として保護者に伝えたいこと、例えばくり返し伝えたい教育方針や行事などの案内、日々の持ち物など保護者へのお知らせは、書面にして渡すのが確実です。

また、保護者にとっては、園の様子や子どもの姿こそ、いちばん知りたい情報です。そこで、重要になってくるのが「おたより」です。「おたより」は、その園の保育の質を如実にあらわします。

園によって時期、頻度、内容などは様々でしょうが、年度の変わり目などに「おたより」のつくり方をあらためて見直してみましょう。保護者の目線になって、時期や回数は適当か、重要な情報がわかりやすく記されているかどうか、などをチェックします。

保育のなかでの微笑ましいエピソードや子どもの成長をていねいに伝えることで、保護者は「子どもをよく見てくれている」と感じ、園への信頼感が増します。

写真なども積極的に活用し、読んで、見て楽しい「おたより」を目指しましょう。なお、写真の掲載やエピソードの紹介にあたっては、個人情報に留意することが大切です。

また、情報量や頻度が多すぎると見てもらえない場合もあります。ほどよく発行し、準備物などの必要な情報は、タイミングよくわかりやすく紹介していきます。

おたよりづくりをサポートしてくれる、イラストや文例集も数多くあります。また、パソコンなどを利用して、見栄えよくつくることもできます。そういったものを利用しながら、限られた時間のなかでよりよいものを提供できるようにすることで、保護者も園の活動に関心を示してくれるようになります。

おたよりづくりの工夫

定期的に発行する

定期的に発行することで、保護者の安心感も高まる。「おたより」とひと口にいってもいろいろな種類があるので、現状の方法や内容に見直し点はないか、職員同士で話し合ってみるのもよい。おたよりには次のような種類がある。

園だより
クラスだより
給食だより
保健だより
臨時のおたより（行事の準備物など）

子どもの姿を具体的に伝える

保護者がいちばん知りたいのは子どもの姿。例えば、行事を経験することで成長した子どもの姿や、日々の保育のなかでの小さなできごとなどを、保育観を交えて伝えることができるとよい。

保護者へのお願いごとは早めに伝える

行事の案内や保育に必要な持ち物など、保護者に準備をお願いするものは、保護者が余裕をもって対応できるように、早めに書面にして渡す。

不確定な情報は流さない

早めの伝達がよいとはいっても、不確定な情報は流さない。その後、変更があると混乱を招き、保護者が不信感を抱くきっかけになる。

読みやすさに配慮する

おたよりの作成は、パソコンでも手書きでもどちらでもよいが、いずれも文字の大きさや配置など、読みやすさに配慮する。特に手書きの場合は、美しい文字を心がける。また、誤字脱字のないよう、職員間で読み直しをするとよい。

病児対応の備えは十分ですか？

❶保護者への連絡体制がしっかりしている

❷緊急時の病院との連携体制が整っている

❸保護者の心配ごとに親身になって話を聞く体制がある

病児の保育は、症状に合わせた様々な対応が必要です。そのため、日ごろの備えや知識のほかに、マニュアル通りではなく臨機応変に対応できる園や保育者の力が試されます。子どもの命にもかかわることなので、納得のいく対応を保護者にアピールすることができれば、園への信頼度はいっそう増すはずです。

パターンとして、保育中に発症した場合、熱はないけれど調子のよくない子を預かる場合、アレルギーや持病をもつ子を預かる場合、などが考えられます。いずれも大切なのは、すばやく保護者に連絡がとれる体制を整えておくことです。また、どのような状況で連絡を入れるかをあらかじめ示し、保護者と認識の相違がないようにしておくことがスムーズな対応につながります。

保護者が迎えにくるまでの間、子どもが安心して保護者を待てる場を整えておくことも大切です。看護師がいてより専門的な対応が可能だとか、保健室がありゆったり寝ていられるベッドがあるなどの場合は、積極的にアピールしましょう。

さらに、緊急性のある症状を示している場合に備え、すぐに連携がとれるような病院や医師の存在も重要です。ふだんから気軽に相談できるような関係を築けているかどうかも、園の対応力にかかわってきます。

なお、アレルギーや持病のある子どもを預かる場合は、より慎重に体制を整えておかなければなりません。保護者と密に連絡を取り合い、情報を共有するほか、かかりつけの医師に話を聞いたり、保育者自身が緊急時対応の講習などを受けて、学びを深めておくことが必要です。

病児対応の注意点

病時の対応を具体的に伝えている

- 子どもを預かれないパターン
- 保護者に連絡するパターン
- 保育者が病院に連れていくパターン

緊急時対応の専門性を高めている

- 定期的な訓練、点検をする。
- 職員会議で情報共有する。
- 園内・外研修に参加する。

その場で専門知識の必要な事例

心停止状態（AED）

誤飲・誤嚥による呼吸障害
（背部叩打法・ハイムリック法など）

アナフィラキシーショック（エピペン）

気軽に相談できる近隣の医師や機関がある

- 園医を見直す。
- 保健所や園医との関係を構築する。
（気軽に相談できる）
- 近隣機関のリストアップする。
- 保護者へ情報を提供する。
（保護者との接点づくり）

保護者の気持ちになってコミュニケーションがとれる

- 保護者の事情にも理解を寄せる。
- 保護者の気持ちに寄り添った対応をする。

食事提供に工夫がありますか？

❶食事提供の安心・安全を明示している（業者・産地・園での管理体制など）

❷アレルギーの個別対応をしている

❸食事環境（スペース・食器・食具）に工夫がある

園での食事提供には、様々な側面から保護者の要望が寄せられていることでしょう。食に対して神経質すぎる場合と、無頓着すぎる場合の事例などがありますが、子どもの成長や健康状態に直接かかわることなので、大半の保護者にとっては大切な関心事といえます。自園調理かどうかという点も、選ばれるポイントになっています。

まずは、食事の内容が子どもの健康や安全にどの程度配慮しているのかを知らせる必要があります。限られた予算のなかで、いかに努力しているのかを知らせるのです。無農薬野菜や無添加調味料が体によいのはわかっていますが、利用できない場合も多々あります。それでも、業者まかせにせず、要望を出して食材を取り寄せたり、金額だけで選ぶのではなく、地元の信頼できる農家と親しくするなど、できる範囲で努力していることは保護者に伝えていきます。

また、アレルギー対応をしていない場合は、個別対応できる体制を整える努力が必要でしょう。なかには、アレルゲンを含む食材を控えた和食に切り替えることで、子どもたち全員が同じメニューを食べられるように工夫している園もあります。

なお、保護者にとって園の食事環境は、園の文化を推し量るひとつの目安です。ランチルームなどが用意されていれば、ぜひ積極的にアピールすべきですし、食事時にテーブルクロスをかけたり花を飾ったりする習慣があれば、それだけのことであっても一部の保護者には大いに魅力的でしょう。食器、食具は見た目のよさだけでなく、子どもの発達に合わせて選んでいることなども詳しく伝えると、保護者にとっては新鮮な知識となります。

食事提供の工夫

保育者と調理担当者との連携に工夫する

●調理担当者は子どもの食べる様子を知る。
●保育者は調理のポイントや工夫を知る。
●メニューや栄養の話を協力して子どもたちに伝える。
●園庭で子どもが育てた野菜を給食調理で使う。
●子どものクッキング活動を協力しておこなう。
●バイキング給食・セレクト給食など、保育の一環として一緒に検討する。

給食展示に工夫する

●展示用のケースを保護者が見やすい場所に移動する。
●産地や業者の情報も知らせる。
●つくり方や調理の工夫を添える。

給食だよりを発行する

●食に対する園の方針を伝える。
●具体的な活動内容や報告をする。
●人気のメニューやレシピを掲載する。

食物アレルギーへの対応を明確にする

●できること、できないことを、具体的に明示する。
●最新の情報、治療法などを共有し、保護者の相談にものれるようにする。
●専門的な対応の準備があれば、明確にする。（エピペンの投与など）

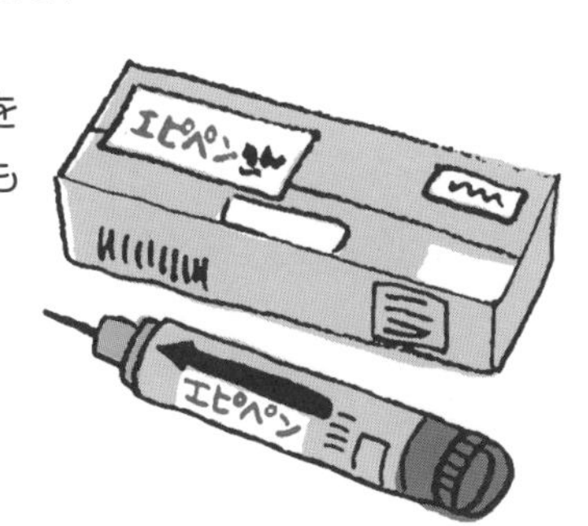

食事のスペース（ランチルーム）に工夫する

●衛生面からも衣食住が同じスペースにならないようにするなど、保育室の利用方法に工夫する。
●テラスや園庭で食事をとる日があるなど、子どもが楽しめる工夫をする。
●ランチルームがある場合は、食育の一環としてアピールする。

発達に即した食器・食具を使う

●子どもの成長、発達に合わせた形状の食器・食具を選べているか見直す。
●磁器食器の採用を検討する。（安全性や本物志向から強化磁器がおすすめ）

お弁当への考え方を示していますか？

❶園の方針を伝えている

❷保護者の負担に対する理解がある

❸園としてお弁当づくりをサポートする

保護者にとって、毎日のお弁当づくりはかなりの負担です。そのため、給食のある園に人気が集まる傾向がありますが、一方で、お弁当だからこそできる子育てを重要視して園選びをする保護者もいます。

そのため、入園説明会などでは、自園のお弁当に対する考え方を明確にする必要があります。お弁当を採用している理由、お弁当を通して育みたいことなどです。また、週に数日はお弁当で、数日は給食という場合、なぜその形態をとっているのかも知らせます。

とりわけお弁当に関しては、保護者によって価値観が大きく異なるところがあるので、園の考え方を保護者にしっかり伝え、納得したうえで入園してもらうことがその後のトラブルを防ぐ意味でも大切です。

ただし、なかには納得していても、実際にはとても負担を感じていたり、地域や仕事の環境、そのほかの理由で園選びが限られた、といった場合もあります。苦手意識をもつ保護者をサポートすることも必要になるかもしれません。

手づくりが理想ですが、大変なときは冷凍食品などを利用して詰めるだけでもよいと、保護者の気持ちと負担を軽くするところから始めましょう。

徐々に、簡単につくれるレシピ紹介や講習会を開くなど、楽しんでもらえるような取り組みをしていくとよいでしょう。

大切なのは、保護者に対するねぎらいの気持ちをもつことです。どんなお弁当であっても、つくってきたことに対しての評価があれば、次への意欲につながります。保護者目線での対応が、信頼感を生む第一歩です。

お弁当対応の工夫

お弁当の魅力を明確に示す

●手づくりは愛情表現のひとつと考える。
●保護者が子どもの食生活を管理できる。
●子どもの好みや食欲に応じて
内容を調節できる。
●食物アレルギーなどへの対応が容易である。

お弁当に対する考え方を伝える

●お弁当を通して、子どもの何を
育みたいかを伝える。
●保護者に期待していることを伝える。
例）手づくりであること、栄養のバランス、内容や量への配慮、子どもが楽しく食べられるもの、キャラクター弁当は禁止　など
●お弁当づくりで決まりごとがあれば伝える。
例）「食べやすさを重視し、遠足のときはおにぎりだけ」「バランスを考えて、野菜は３品使う」など

負担に感じる保護者をサポートする

●ねぎらいの言葉をかける。
●レシピを提供する。
●料理講習会などを開催する。

お弁当を食育の一環として活用する

●お弁当に入れるメニューの
バランスについて伝える。
●お弁当の時間に、食や栄養に
対する知識を子どもに伝える。
●お弁当の時間に、つくってくれた人への
感謝や、みんなで一緒に食べることの
楽しさを伝える。

時間外保育が利用されていますか？

❶保護者(地域)のニーズに即した計画になっている
❷発達に合わせたプログラムがある
❸家庭的でくつろげる雰囲気がある

ここでいう「時間外保育」とは、幼稚園の「預かり保育」や保育園の「一時預かり」など、通常の保育以外の時間・プログラムでおこなわれる保育を指します。

文部科学省における子育て支援策の一環で、平成９年度から私立幼稚園に対し、「預かり保育推進事業」として私学助成を措置するなどの後押しもあり、「預かり保育」は広がりを見せています。

実際、核家族化・少子化などによる保護者の子育て不安や孤立感の高まり、共働き家庭の増加などから、「預かり保育」「一時預かり」のニーズは増すばかりです。

したがって、地域にもよりますが、「預かり保育」「一時保育」が利用でき、さらにそれが保護者の期待に応えるものであることが、選ばれる園として大切な要素であることは間違いありません。

そのためには、園の「預かり保育」について仕組みや利用状況を積極的に知らせる必要があります。実際、これが園選びの決め手になる保護者は多いのです。

さらに、その内容を充実させることも大切です。単なる「預かり」ではなく、きちんとしたプログラムのもと「保育」を実施している、長時間保育で子どもが疲弊しないように家庭的でくつろげる雰囲気を心がけているなど、園それぞれの考え方に基づいて「預かり保育」「一時保育」を見直しましょう。

充実した「保育」をおこなうためには、人員確保も大きな課題のひとつです。業者に一任したりパート職員にまかせる場合でも、環境づくりやプログラムの作成には正規職員も積極的にかかわるようにしましょう。

時間外保育の工夫

実際の利用状況を知らせる

●利用条件・利用状況を事前に明らかにする。

●長期休みや園児以外の利用など、利用条件の幅を明らかにする。

保育活動を充実させている

●保育の一環としての計画づくり
自由あそび、おやつ、
保護者も含む活動など

●特別な活動の導入
リトミック、体操、造形、英語、
クッキング　など

保育環境を見直す

●保育室の場所、定員、職員配置

●子どもがくつろげる雰囲気づくり

保育スペースの一例

特別な活動を取り入れていますか？

❶家庭ではできない体験ができる

❷近隣の他園とは差別化できる活動がある

❸異年齢の子ども同士の交流がある

園選びのなかで、保護者の心を最初にとらえることのひとつとして「特別な活動」があると思います。子どもにぜひ体験させたいけれど、家庭ではできないこと、他の園ではやっていないこと、集団でなくては経験できないことなどが、それにあたります。

必ずしも保護者の目をひくような派手なものである必要はありません。例えば、月に一度お誕生会を開催し、お誕生月を迎えた子どもの保護者を招いて一緒に給食を食べる機会をつくっているなど、日常に密着した活動でもよいのです。大切なのは、その内容・意図をいかに魅力的に伝えられるかなのです。

まずは、自園において何がそれにあたるか、洗い出してみましょう。思いつかない場合は、この機会に、自園ならではの活動を企画してみてもよいでしょう。そして、その活動の内容と意図を明確にし、しっかりアピールしていきましょう。その活動によって子どもの何をどう育てたいか、言語化して保護者に伝えることが大切です。それは園の理念とも連動させて紹介できれば、より説得力のある活動となります。

なお、平成21年に新しく施行された「保育所保育指針」「幼稚園教育要領」において、小学校との連携の推進が盛り込まれました。近年、問題となっている「小1プロブレム」の回避にもつながることが期待されています。しかし、こちらはまだ自治体、園によって、その取り組みに大きな差があるようです。どのような方法があるか、自治体の窓口などに相談してみるのもよいでしょう。幼保小連携の活動を積極的に実施することも、他園との差別化を図るのによい方法です。

特別な活動の工夫

近隣園との差別化を図れる活動を取り入れる

●ユニークな体験活動の例
農業体験
（田植え・稲刈り、野菜づくり・収穫　など）
社会科見学（消防署、工場、地域のお店、
保護者に仕事の話をしてもらう　など）
動物の飼育、ふれあい（うさぎ、にわとり、
やぎ、ハムスター、カメ　など）
クッキング（カレー、豚汁、おにぎり　など）

●幼児教育活動の例
英語
造形
書道
算数、そろばん
リトミック

●運動活動の例
体操
スイミング
サッカー
ダンス

●野外活動の例
キャンプ
登山
海や湖、川での水あそび
長期お泊まり保育

●ボランティア活動の例
地域の老人ホームなどの訪問、交流
募金活動への参加

●宗教活動の例（宗教園の場合）
礼拝やお祈り
宗教に基づいた行事

●幼保小連携の活動の例
地域の小学校との交流（あそび、給食など）
地域の小学校教諭と保育者の交流
（小１プロブレム対策など）

保護者へのアピール方法

●ホームページで紹介する。
●園だよりで紹介する。
●近隣の住民や地域の子ども、保護者を
招いて披露する。
●地域の子ども、保護者を招いて一緒に活動する。
●入園希望者の見学・体験会を開く。
●入園者向けのパンフレットで紹介する。

保護者間交流への配慮がありますか？

❶保護者参加の行事に工夫がある

❷保護者同士の交流スペースを設けている

❸保護者役員に過度な負担をかけない

入園前の保護者にとって、保護者間交流は期待と不安の対象となります。積極的に交流したいと考える保護者もいれば、それを負担に感じ、できれば避けて通りたいという保護者もいるのが現実です。

ですが、園としては、子育てを孤立化させないためにも、できれば保護者間によりよい交流が生まれるように手助けしていくことが必要です。逆にいえば、保護者の負担になるような保護者間交流が生まれないよう、園がじょうずにリードできることが理想です。保護者同士の関係がよい園は、保護者にとって非常に魅力的ですし、なかにはそれがアピールポイントになる園もあるほどです。

その際大切なのは、保護者同士、子育てに協力し合える交流、保護者としての節度をもった交流ができるように配慮するとともに、特定の保護者を孤立させない、悪口や仲間はずれなどネガティブな交流はさせないことです。

例えば、園に保護者同士が交流できるようなスペースをつくれば、保育者もかかわりながらの保護者間交流の機会をもつことができます。あるいは、保護者同士が笑顔で協力し合えるような保護者参加型の行事を企画し、よい関係づくりのお手伝いをすることもできます。

ただし、保護者間のトラブルに発展するような場合もあるので、注意が必要です。まず、役員選びの段階から、公平な選出方法を意識すること。また、役員になった保護者に過度な負担がかからないように、また一部の保護者だけに情報が偏らないように調整していくことも大切です。いずれにしても、保育者がじょうずに間に入ることで、よい流れをつくれるようにしていきましょう。

保護者交流の工夫

保護者同士が交流できるスペースを設けている

●送迎時の保護者がひと息つけるコーナーづくり

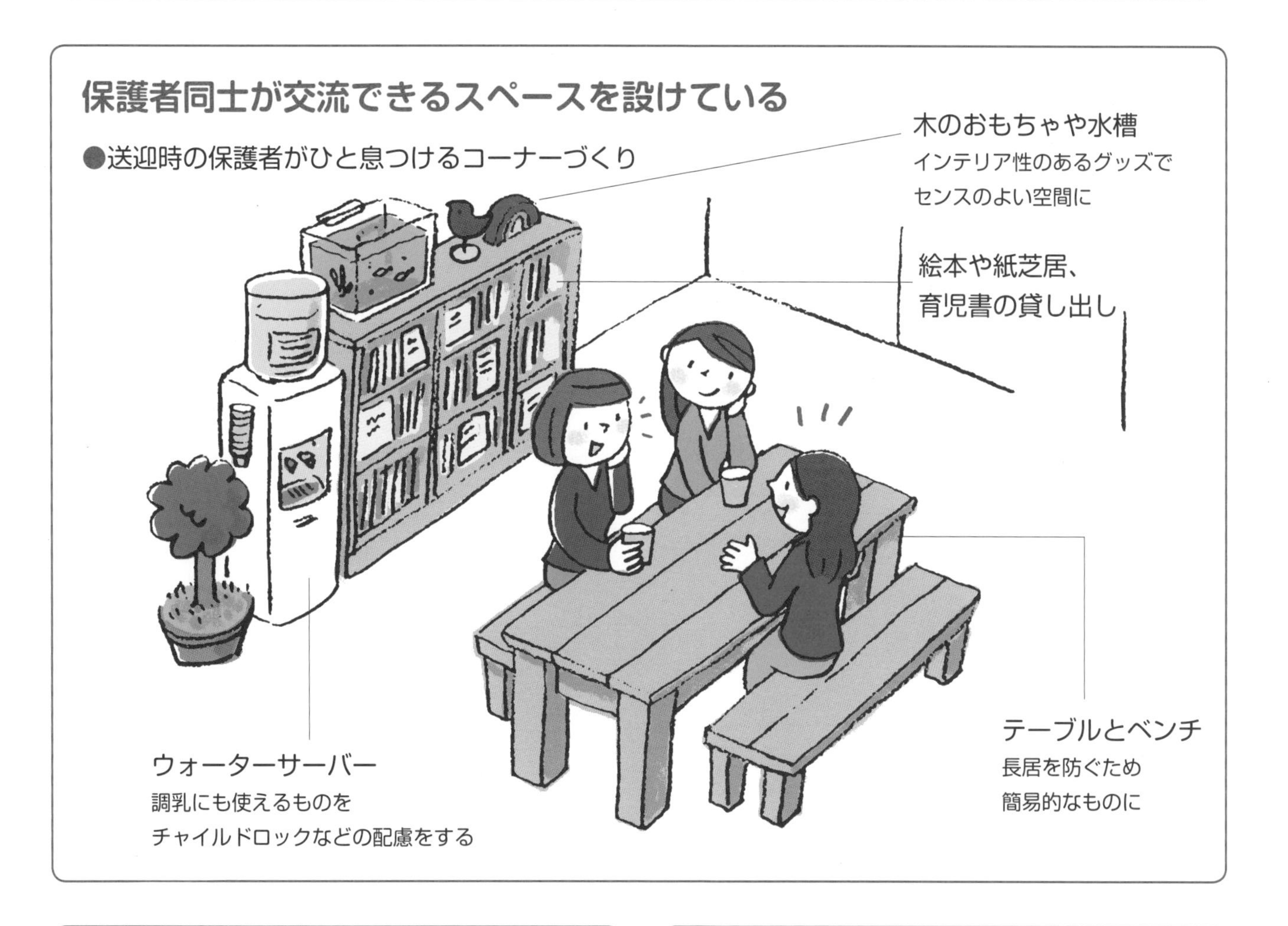

保育者が保護者同士をつなぐ

●送迎時の雰囲気づくりをする。
●保護者会などで、
　自己紹介や談話時間を設定する。
●保護者同士が知り合えるよう、
　保護者参加行事を企画する。
●役員活動やサークル活動、
　自由参加型の講習会や勉強会を企画する。
●父親同士の交流の機会をつくる。

保育者が保護者間交流のルールについて助言する

●メールや SNS（フェイスブックなどのソーシャルネットワーキングサービス）の利用方法
●放課後や休日の交流方法
●ネットワークビジネスや宗教活動の持ち込み禁止
●役員活動など、特定の保護者に負担が偏らないよう調整

ホームページがありますか？

❶必要な情報をこまめに更新している
❷見やすく扱いやすいデザインなっている
❸検索で見つけやすい対策をしている

園選びの情報収集にもインターネットが大いに活用されているので、ホームページでどのような情報を発信していくかがこれからの課題となっています。すでにホームページをもっている園も、新入園児獲得の観点から見直す必要があるかもしれません。

まず、これから園を選ぼうという保護者に向けた情報を発信する場合、いちばん大切なことは、保護者が見つけやすいようにつくることです。そのためには、検索エンジンで見つけやすいようにしたり、名刺や封筒、ポスターやチラシなどにホームページアドレスを添えたりなどの工夫が必要です。

そして、ホームページそのものを、見やすくわかりやすく構成することです。ここにきて保育にかかわる制度が大きく変化しています。制度の仕組みや具体的なサービス内容、申し込み手続き内容など、他園にはない情報提供で差別化を図るのもよいでしょう。

園で制作することも可能ですが、SEO対策（検索エンジンに反応しやすいようにつくること）などを考えると、専門業者に制作を依頼することで、より保護者にアピールできるホームページをつくることができます。業者は、一概に制作費が高ければよいというわけではなく、良心的な価格で目的に合わせたものをつくってくれるところもあります。いくつかの業者にあたって見積もりをとりながら、信頼できる会社を選びましょう。

そのうえで、まめに情報更新をしたり、園の生活が垣間見えるようなブログも一緒に開設するなど、在園児の保護者と、これから獲得したい園児の保護者の双方が利用できるページづくりをしていきましょう。

ホームページの工夫

タイトル

●園名・法人名を見やすい位置、大きさで表示する。

メニュー数

● 10 を超えないようにまとめる。

写真

●園児や親子の園生活がわかるようなものを選ぶ。
●個人情報に注意する。

お知らせ

●園の最新情報をこまめに更新する。

資料請求

●請求フォームへ誘導する。

キャッチフレーズ

●園の特徴がひと目でわかるようにする。

所在地・電話番号

●目立つ位置に配置する。
●すべてのページの下方に入るようにしているものも多い。
●アクセス方法や駐車場情報なども入れておくと、見学者の参考になる。

※そのほか、スマートフォン・タブレットとの連動も考える。

望ましいメール・電話対応ができていますか？

❶第一印象を大切にしている

❷職員のマナー教育をしている

❸問い合わせ内容によって、対応者を決めている

はじめて園に問い合わせをする保護者にとって、電話やメールの対応は、園の印象を大きく左右します。どちらも顔を合わせないコミュニケーション手段であるだけに、ときに誤解を招きやすいもの。相手に好印象を与えられるような対応を、職員全員に徹底したいものです。

特に最近は、高学歴の保護者、社会経験の豊富な保護者が増えており、園という閉鎖的な社会で働く保育者に向ける眼は厳しくなっているので、注意が必要です。

そのためには、電話やメールの基本的なマナーを押さえておくことです。言葉づかいにしても、対面のコミュニケーション以上に注意が必要なことは言うまでもありません。

最近は、家庭に固定電話がなかったり、メールで済ませるなど、電話自体を使わなくなっている人も増えています。それとともに、目上の人と話す機会も減っています。そのため、「社会人なのだからできるもの」という思い込みは捨て、電話応対や言葉づかいなどのマナーにかかわる一般常識を見直す機会をもち、職員同士で意識して高めていく必要があります。

メールは比較的新しいコミュニケーションツールなので、環境が整っていない園も多いかもしれません。ただし、これからは、保護者との連絡手段として必要不可欠になることは間違いなく、メール対応のマナーについても勉強しておく必要があります。

いずれも園内で園長・主任が指導するほか、園内・外研修として、ビジネスマナー講座の受講を検討してみてもよいかもしれません。

電話・メール対応の注意点

電話対応の基本

●コールはできるだけ３回までにする。
●お待たせしてしまった場合は、
「お待たせいたしました」と詫びる。
●園名とともに、
自分の名前を名乗る。
●相手の名前はきちんと聞き取り、
聞き取りにくい場合は確認する。
●園内の人に「さん」づけはしない。
●大切な用件はメモする。
●取り次ぎは「少々お待ちください」と、
受話器を手で押さえてから声をかける。
●相手が電話を切ってから
受話器を置く。
●伝言を頼まれた場合は、
メモをとり、復唱する。

メール対応の基本

●あいさつ文、本文、末文、署名など、
フォーマットを準備する。
●問い合わせを受けたら、
時間をおかず返信する。
●メールチェックは１日１回以上する。
●送信前に誤字脱字など、文面のチェックをする。
●必ず責任者（園長など）に CC 機能で
同じメールを送信する。

看板・広告などを活用していますか？

❶適切な場所に見やすい看板を設置している
❷園バスに看板・広告としての工夫がある
❸地域の配布物などに広告を出している

地域の保護者にアピール効果の高いツールのひとつが屋外看板です。園のシンボルとなる園頭看板のほか、外壁などに設置する壁面看板、道路上で道案内をする誘導看板、道路上で存在を知らせる野立て看板などの種類があります。

いずれも、できるだけ人目にふれやすい場所を選ぶことが大切です。また、屋外で遠目からも読み取りやすいような文字サイズ、色、デザインなどを工夫する必要があります。野ざらしになるものですから、薄くなったり消えかけていないか、汚れていないかなど、イメージダウンを防ぐためにも随時点検し、メンテナンスすることも大切です。

園バス送迎をしている園では、バスも有効な広告ツールだと認識しましょう。バス車両に園名やシンボルマークをはっきりと搭載するのはもちろん、遠目でも見ただけで「○○園のバスだ」とわかるようなデザインを施すのもよいと思います。

ちなみに、オリジナル性の高いものや希少性のあるものは高価になりますが、保護者以上に子どもへのアピール効果をもたらす場合もあります。実際、子どもが「あのバスに乗りたい」と言ったのがきっかけで入園を決めた保護者もいます。

行政の掲示板やタウン誌など地域への配布物に広告を出すことも効果があります。特に、未就園児対象の集いや地域開放の行事、入園説明会や入園願書配布・受付のお知らせなど、できるだけ多くの保護者に正確な情報を知らせる場合において効果的です。

看板の工夫

看板の種類

園頭看板

園のある場所で園名と園の雰囲気を伝える。

壁面看板

未就園児教室や園児募集情報などを壁面に掲示する。

誘導看板

電柱看板や消火栓標識などを使い、園までの道案内の役割も果たす。

野立て看板

交通量の多い道路や人の集まる場所に設置して園の存在を知らせる。

設置場所の工夫

- 徒歩で見やすい位置
- 車で見やすい位置
- 遠目で見やすい位置
- 街を歩いていて目立つ位置
- 低コストで設置する工夫（協力者のフェンスなど）

園バスの工夫

- 走っていても園名がよく見えるように
- 電話番号や場所などの情報も明記
- 子どもが「乗ってみたい」と思うような色、デザイン

近隣とのコミュニケーションはとれていますか？

❶日ごろのあいさつをきちんとしている
❷公開行事へ招待したり、地域活動へ参加している
❸クレーム対応は誠実にできている

近年、園と地域社会との関係づくりが大きな課題となっています。「子どもの声がうるさい」と訴えられ、裁判にまで至るケースなど、近隣住民とのつきあい方に頭を悩ませている園が多くあるからです。近隣とよりよいコミュニケーションをとれている園は、それだけ園の好感度も高く、よい意味で保護者のアンテナに引っかかる可能性も高くなります。

そのためには、日ごろのあいさつを心がけたり、保護者のマナー違反（路上駐車やゴミ、立ち話など）に注意するなど、細やかな配慮が必要です。そのうえで、園の保育に理解・共感を得てもらうための働きかけも重要になってきます。

近隣との関係悪化の原因に、子どもの声を含めた「騒音」があります。これには、「見知らぬ子どもの声はうるさいが、知っている子どもの声は微笑ましい」という心理をじょうずに利用できるとよいでしょう。

そこで、地域のお祭りなど地域活動には積極的に参加したり、園の行事に招待したりなど、子どもに親しみをもってもらい、地域ぐるみで子どもたちを育てていきたいという考えを示すことができるとよいでしょう。また、散歩などの際には、保育者だけでなく子どももあいさつできるように仕向けていきましょう。

もちろん、運動会やバザーなど「騒音」の可能性のある日には、事前に近隣へあいさつにまわるなどの配慮も必要です。

そのように努力しても、クレームとして園に連絡が入ることもあります。そのときは、ていねいにお詫びを伝えるとともに今後の対策について話し合ったうえで報告するなど、誠実な対応を心がけましょう。

近隣対応の注意点

日ごろのあいさつを心がけている

- 職員全員が近隣の方へ笑顔であいさつする。
- 行事前には案内と協力を依頼する。
- 行事後にはお詫びと感謝を報告する。
- 公開行事への参加をお誘いする。

保護者への啓発もおこなっている

- 路上駐車を禁止する。
- 路上での立ち話を禁止する。
- 保護者が会話を楽しむ場所を設定する。

  例）玄関脇のコーナーづくりや
  　　保育室を開放するなど
- ゴミ、吸い殻などは厳重に注意する。

日常の保育で気をつけている

- 必要に応じて、防音壁を設置する。
- 外あそびの時間など、保育内容を見直す。
- 子どもの声以外の音（保育者の声・スピーカー・楽器・体操の笛の音など）を見直す。

騒音以外の「迷惑」について考えてみる

- エアコンの室外機など機械音
- 調理室からのにおい
- たき火の実施

園児募集のための年間計画を立てていますか？

❶配布・掲示の計画を立てている
❷未就園児参加行事の計画を立てている
❸卒園児を招く行事がある

園全体の経営計画については後のページで詳しく紹介しますが、ここでは、園児募集の活動に絞って、その進め方を考えたいと思います。園の年間スケジュールとじょうずに連動させながら、効果的に対象者に広報できるようにしたいものです。いきあたりばったりでは効果的な広報活動ができず、費やした費用や時間が無駄になってしまいかねません。

年間計画を立てるのは、前年度の入園考査が終わり落ち着いたころ、例えば年初めなどがおすすめです。次年度の願書受付を一応のゴールとし、園の保育や行事との連動も考慮しながら年間を見通して具体的に計画していきます。園のパンフレットの作成や配布、未就園児参加行事の実施のほか、卒園児も視野に入れた計画を立てるとよいでしょう。「卒園児を大切にしてくれる」という温かなイメージが口コミで広がれば、それも園のイメージアップにつながるからです。特に、在園児や卒園児の保護者による口コミは絶大な効力を発揮します。

計画を立てる際に大切なのは、①何を伝えるのか（情報の内容） ②だれに伝えるのか（広報の対象） ③何を得たいのか（目的） ④どのように伝えるのか（ツール） ⑤いつ伝えるのか（時期）の５点を明らかにしておくことです。

また、限られた職員で、どのように協力して進めていくかの検討も必要です。園児募集にかかわる業務を担当する職員や行事ごとのチームをつくるなど、園児募集を視野に入れた取り組みも必要になります。園のプロデュースのためには、職員全体の力が必要だということも忘れてはなりません。

園児募集の工夫

広報活動の５つのポイント

1. 何を伝えるのか（情報の内容）
2. だれに伝えるのか（広報の対象）
3. 何を得たいのか（目的）
4. どのように伝えるのか（ツール）
5. いつ伝えるのか（時期）

例）園庭での焼き芋会

①焼き芋会の開催

②地域の未就園児の親子

③園の存在を知らせる
園の魅力を伝え、入園への意欲へつなげる

④外壁や自治体の施設・地域の掲示板でのポスター掲示・自治体の広報物への情報提供

⑤開催日時の１か月前

●園児募集のための年間計画の一例

■年間広報計画の一例

●……企画検討開始　○……実施・開始

	1月	2月	3月	4月	5月	6月	7月	8月	9月	10月	11月	12月
公開保育	●	音楽発表会			●	親子料理教室 ●	夏祭り		●	運動会 ●	焼き芋	
未就園児教室		●		○ →	→	→	→	→	→	→	→	→
見学会				●	○		●		○			
説明会							●			○ →	願書受付	
パンフレット・案内	●		○ →	→	→	→	→	→	→	→	→	
園児募集のポスター・パンフレット					●		○ →	→	→	→	→	→
ホームページ	年間を通して、継続的な情報更新をおこなう											

入園案内・パンフレットをつくっていますか？

❶園の存在を知らせるための必要な情報を紹介している
❷他園との差別化がアピールできている
❸園長や職員の顔が見える冊子になっている

園に興味をもった保護者がまずおこなうのは情報収集です。その際に、参考にするもののひとつとして、入園案内・パンフレットがあります。口コミも参考にするでしょうが、その良し悪しを判断するために、自分の目で確かめようとするでしょう。

入園案内やパンフレットは、園の目指す保育をだれにでもわかりやすく、魅力的に知らせるものでなければなりません。手にとったときの第一印象で「わが家の教育方針と合っているな」「子どもが楽しく過ごせそうだな」と感じられるようにしたいものです。そのためには、表紙などの目立つところに、園のいちばんの魅力を明快なキャッチフレーズで生き生きとした子どもの姿とともに表現します。

もちろん、中身も重要です。園の所在地や連絡先、園児数や教職員の数、保育時間や給食・園バスの有無など基本的な情報が明記されていることはもちろんですが、保護者が知りたいのは、園で子どもがどのように過ごすのか、何が得られるのかです。

そこで、園で実践している活動とそこで得られる子どもの成長を、園の理念とつなげて紹介します。あれもこれもと、多くの情報を盛り込むよりも、近隣園との差別化ができるような活動を絞って見せることも効果的です。また、その活動が園のひとりよがりな主張にならないように、在園児の保護者や卒園児の声などを交えるとよいでしょう。

そのほか、保護者はどんな先生に子どもを預けることになるのかも気にします。そこで、園長や職員の名前や顔写真、生の言葉なども掲載すると、より親しみのわく冊子になると思います。

入園案内・パンフレットの工夫

入園案内・パンフレットで紹介したい項目

- 園の魅力を訴えるキャッチフレーズ
- 入園によって得られる子どもの成長
- 保護者の声
- 子どもが生き生きと活動する姿
- 教職員の紹介
- 1年間の保育の流れや特徴的な活動
- 入園までのプロセス

配布方法

- 園見学、未就園児教室、園庭開放、バザーなど
- 在園児・卒園児の保護者に依頼
- 近隣の店舗や病院など、未就園児の利用場所に設置
- ホームページからのダウンロード

ポスター・チラシをつくっていますか？

❶園のイメージに合ったデザインになっている
❷掲示・配布の地域が適切である
❸掲示・配布のタイミングが適切である

ポスターは、運動会やバザーなどのイベントや園児募集、未就園児教室開催のお知らせなど、不特定多数の地域の保護者に広く情報を伝えたいときに効果を発揮するツールです。通りすがりに目にすることがほとんどですから、インパクトのあるもの、それでいて印象のよいもの、さらに伝えたい情報がパッと見てわかるものでなければなりません。

そこで、情報量は必要最低限にし、文字の大きさやデザインなどを工夫します。そして、詳細は園に問い合わせたり、入園パンフレットを配布するなど、次の情報源へ誘導できるように工夫します。

一方、チラシは、ゆるやかにではありますが、特定の層に向けたツールです。「新聞折り込みチラシ」や地域のポストに入れる「ポスティングチラシ」ですと対象はかなり広がりますが、子育て支援施設や親子カフェ、乳幼児向けの教室など地域の保護者が集まる場所に置く場合は、ターゲットはかなり限定されます。また、チラシは、ポスターに比べて至近距離で、しかも手にとって見るツールです。その意味で、原則、興味関心がある人のみが手にとるので、読んでくれる可能性が高く、情報量は多めでよいと思います。

なお、チラシはある程度の枚数が必要で、配布方法によっては、費用も必要になります。そのため、効果を慎重に見定める必要があります。

そこで、来園した保護者にアンケートをとり、どの時期、どんな配布方法のチラシに効果があったのかを探ります。そうした情報収集を年々積み重ねることで、より効果の高いチラシを目指していきましょう。

ポスター・チラシのつくり分け

ポスター　掲示する場所によってつくり分ける。

遠方視認用

●園の外壁や地域の掲示板などに掲示する。

●大きな文字で表現する。

●最低限の情報のみにとどめる。

至近判読用

●自治体の掲示板や店頭などに掲示する。

●大きな文字で表現する。

●細かい情報も掲載する。

チラシ　保護者の視点を大切に制作する。

●園の魅力を最大限に表現する。

●印刷会社など業者まかせにすると、
園らしさがうまく表現できず
失敗することもある。

●在園児の保護者の意見も取り入れる。

●未就園児イベントなど
手づくり感をアピールしたいときは、
手書きで温かみを出す。

見学者への対応は万全ですか？

❶はじめての来園者を大切にしている
❷家族見学会を開催している
❸見学後のフォロー体制がある

園の魅力を知ってもらうには、実際に目で見てもらうのがいちばんです。そこで、年間を通して複数回、園主催の見学会を開催するほか、随時、見学者を受け入れる体制づくりが大切になってきます。

保護者にとって見学の目的は、園情報を得るだけでなく、園や先生の実際の雰囲気を知ることです。これればかりは資料をいくら眺めてみてもわからず、肌で感じとるほかありません。逆にいえば、見学で感じた「雰囲気のよさ」が園選びの決め手になるといっても過言ではありません。

園主催の見学会の場合は、手順や職員体制をあらかじめ準備できるのであまり心配ないでしょう。留意点としては、その園ならではの特徴的な活動や得意とする分野の活動を積極的に公開すること、ふだんの様子を見てもらう機会もつくること、親子で訪れることが多いので子どもが参加・体験できるような活動を用意すること、などです。

一方、随時、見学者を受け入れる場合、園長や主任が不在ということも考えられます。だれが対応しても失礼のないよう、あらかじめ見学者を想定したマニュアルをつくり、職員会議などで確認しておくようにします。見学希望者の対応方法、案内手順などをまとめ、どの職員でも不手際なく対応できるようにしておきましょう。

なお、いずれの場合もその後のフォロー体制をつくっておきましょう。見学から行事のお誘い、未就園児教室、さらに入園説明会にまで足を運んでもらえるような道筋を考えておきましょう。園からのアクションで、肩を押してもらいたい保護者も意外と多いものです。

見学者対応の注意点

第一印象を大切にしている

- 職員全員が笑顔であいさつする。
- 来訪者には職員から先に声をかける。
- 待たせたり、
  無駄な時間が出ないような工夫をする。
- 見学会前後の職員の態度にも注意する。

設備のメンテナンスをチェックしている

- 古くても、掃除をしっかりする。
- 特にトイレや水まわりの清潔には注意する。
- 保護者の目になってチェックする。
- 防犯・事故防止対策などを施し、
  保護者にアピールする。

年に複数回、開催している

- 見せる活動の種類を変え、
  いろいろな魅力をアピールする。
- 在園児の成長の変化が追える
  プログラムを用意する。
- 日常の子どもの様子も見せる。

見学後のフォロー体制を整える

- 名前や連絡先などを聞き取る（ただし、
  個人情報の提示を無理強いしない）。
- 公開行事、未就園児教室、
  入園説明会などの案内を送付する。
- 再来園時のために子どもの名前を把握する。
- 次回・次年度に向けてのアンケート
  調査をする。

未就園児教室を開いていますか？

❶園の理念と連動している

❷職員と保護者の信頼関係を築いている

❸入園につながる仕組みがある

未就園児教室とは、入園前の幼児があらかじめ園の環境や先生、ほかの子どもたちに慣れて、徐々に母親から離れてあそべるようになることを目的としています。

保護者にとっては、知り合いづくりの場であったり、子育てにおける精神的な支えの場であったり、単におけいこごとの感覚だったり、その受け止め方は様々です。

いずれにしても園にとっては、入園希望者を確保するために大変役立つものであることは間違いありません。ここで園と保護者、そして子どもとの信頼関係が築ければ、それは保護者にとって入園に向けた強い動機づけになるからです。

では、園と保護者の信頼関係につながるような未就園児教室とはどのようなものでしょうか。まず大切なのは、園の理念がそのまま生かされた教室であることです。外部の講師にまかせきりにしたり、単なるあそびの場としての提供にとどまって、園の理念が伝わらないということでは、保護者の信頼は得られません。

そのうえで、担当する職員が保護者や子どもと親しみをもって接し、密な人間関係をつくっていくことも大切です。要は、在園の親子と同じように愛情をもち、その成長を楽しみにする姿勢をもつということです。

さらには、参加者に対し、入園願書配布や受付の時期に「ぜひ入園してほしい」という思いを言葉にして伝えることも大切です。もし、未就園児教室の参加者は優先的に入園できるなどの特典があれば、それもしっかり伝えるとよいでしょう。

未就園児教室の工夫

わかりやすい告知ができている

●未就園児教室を告知する。
（時期・申し込み方法など）
例）先着順
在園児の兄弟姉妹に
枠がある
会期途中の入室の
可否など

保護者や子どもとよい関係を結んでいる

●親しみをもって接する。
●育児の悩みや相談には
積極的に応える姿勢をみせる。
●園長や主任など保育経験豊富な職員が
直接声をかけ、親子の不安を取り除く。
●子どもの成長は見逃さず、保護者に伝える。

教室の内容に魅力をもたせる

●園の職員が担当し、
園の保育にそのままつなげる。
●外部の講師が担当し、
他園と差別化した活動内容やレベルにする。
（園の理念と離れないようにする）
例）

参加形式

親子…子育て支援と保護者同士の
出会いの場
子どものみ…集団あそびから、
園の雰囲気に慣れる
母親のみ…親のためのリフレッシュの場
（子どもは別室で保育）

内容

手あそび・歌あそび・リトミック
絵本・紙芝居などの読み聞かせ
かんたんなクッキング（おやつづくりなど）
造形・絵画
体操・ダンス・ミニ運動会
季節の行事（七夕・お月見・クリスマスなど）
ベビーマッサージ・ベビーサインなど

子育て支援で地域に貢献していますか？

❶いつ・どこで・何をするか、わかりやすく告知している
❷気軽に育児相談ができる雰囲気がある
❸くり返し来園してもらう工夫をしている

ここでの「子育て支援」とは、52ページのような園独自の未就園児教室とは違い、園児募集活動を強く意識させないボランティア的な活動になります。

自治体からの委託を受けて運営している園も多くあるでしょう。ただし、園に何度も足を運んでもらうことにもなるので、いずれは入園につなげることができます。また、園の利害に関係なく、地域の保護者や子どもを支援していこうとする姿勢は、近隣へのイメージアップにつながります。子どもを取り巻く事件や事故を防ぎ、地域の力を高めることで、園のもつ力量が試される時代でもあるのです。

まずは、「いつ、どこで、何をしているか」をわかりやすく告知します。申し込み方法や雨天の場合の実施の有無、駐車場や駐輪場の有無なども重要な情報です。そして、やる以上は、担当の職員を配置し、きちんと実施することです。

例えば、手軽に開催できる園庭開放ですが、せっかく親子で訪れても「ただ園庭をあそび場として提供する」だけでは、訪問する楽しさや目的などを見出せないまま終わってしまう親子もいるかもしれないからです。せっかく園庭開放をしても、保護者をがっかりさせてしまうのでは元も子もありません。温かく迎え、ときにはこちらから「困っていることはありませんか」などと声をかけることで、コミュニケーションが生まれます。

例えば、来園時につけてもらう名札や帽子、スタンプやシール帳などを用意したり、園児の集団あそびに誘い入れたりなども、保護者に「歓迎されている」「受け入れられている」と感じさせる効果があります。

子育て支援活動の工夫

園庭開放で歓迎の気持ちを積極的にあらわしている

●門に看板を出したり、
　職員が常に気にかけられるような配慮をする。
●親子が孤立しないよう、
　職員が積極的に声をかける。
●子どもが在園児とふれあえるように、
　職員がサポートする。
●職員が積極的に子どもをあそびに誘うことで、
　保護者が一息つけるようにする。
●保護者にさりげなく子どもとの接し方を伝え、
　育児の悩みを共有する。

育児に悩みを抱えた保護者を支えている

●「育児相談」の日時や場所を設定し、気軽に相談できるようにする。
●その日、その時間は必ず担当の職員がその場にいるようにし、タイミングを逃さない。
●どんな小さな相談でも受け入れるという姿勢をみせる。
●相談の場でなくても、不安や悩みに気づいたら声をかける。
●育児に悩む保護者同士が知り合い、支え合える場を提供する。
●孤立している保護者には職員のほうから声をかけ、必要があれば相談にのる。

親子が集うイベントを企画している

●地域の保護者同士が知り合うきっかけづくりにする。
●子どもの発育チェックや離乳食教室、親子あそびなど、
　職員ができる簡単な活動を取り入れる。
●イベント中、育児のことや子どもとの接し方などを
　さりげなく伝える。

入園説明会を開いていますか？

❶伝え方に独自の工夫がある

❷質問しやすい雰囲気のなかで、質疑応答の時間を設けている

❸迷っている保護者の気持ちを受け止めている

入園説明会は、園の理念や活動など保育内容を知ってもらうことと、園児募集における事務的な情報を伝えるという２つの大きな目的があります。ここで気をつけたいのは、園の側からの一方的な情報提供に重きが置かれ、保護者の気持ちがなおざりになってしまわないようにすることです。

多くの保護者は、入園を決める最後の一手として、心に響く何かを求めています。また、迷いながら入園説明会に参加している場合も少なくありません。

ここでの「心に響く何か」とは、保育に対する情熱を、どれだけ保護者に対してぶつけられるかどうかです。まずは、心からの言葉で保護者に訴えかけることです。ただし、やみくもに熱く語れば伝わるものではなく、説明会のプログラム構成から検討し、最後まで興味をもって話を聴いてもらえるよう“飽きさせない演出”も必要です。例えば、スライドや動画で園の雰囲気や子どもの姿を紹介したり、在園児の保護者に話をしてもらうなど、入園後の園生活を具体的にイメージさせる演出ができるとよいでしょう。

さらに、保護者の不安や迷いを払拭する機会として、質疑応答の時間を設け、ていねいな対応をすることも大切です。物事には必ず両面があるので、応答次第では不安を期待に変えるチャンスにもなります。

保護者の子育ての苦労をねぎらうような言葉がけも、保護者が心を開くきっかけになります。そして、「これからは一緒に子育てをしていきましょう」という姿勢をみせることで、保護者の心をしっかりとつかまえることも可能なのです。

入園説明会の工夫

説明会の流れを見直す

●飽きさせない、親近感の感じられるプログラムづくり、構成を検討する。

保護者の心に響く園紹介の例

●スライドやDVDなどで、職員や子どもの生き生きとした姿を紹介する。
●スライド等はただ見せるだけでなく、職員がコメントを加える。
●園長のスピーチだけでなく、現場の職員や在園児保護者のエピソードを交える。
●予算があれば、映像などを専門の業者に依頼して質の高いものにする。

質疑応答の取り入れ方の例

●おおぜいの前で質問をしにくい、できない保護者もいること、個人的な質問をしたい保護者もいることに配慮し、閉会後も質問はいつでも受け付けていることを伝える。
●質問から保護者が何に不安を感じているかを汲み取って答える。

保護者の親近感を高めるための工夫

●これまでの育児の負担や努力をねぎらう。
●子育てに対する姿勢を認め、評価する。
●悩みや不安を受け止める。
●ともに子育てをしていこうという気持ちをあらわす。

園の行事を公開していますか？

❶日ごろの園の様子がわかる実施方法になっている
❷参加を歓迎している気持ちを伝える
❸子どもが「楽しかった」と感じられる工夫がある

　地域の親子に気軽に来園してもらう機会として、日常の保育を公開したり、園の行事に参加してもらう方法があります。行事は運動会や発表会などはもちろん、クリスマス会、餅つき大会、夏祭りなどの季節の行事なども含めて検討できるでしょう。どのような場合も「一緒に楽しみましょう」という姿勢で迎えることが大切です。

　楽しい時間をともに過ごすことで、園に親しみを感じてもらえるとともに、園のいろいろな活動を肌で感じることで、わが子の未来の園生活をイメージしてもらえるでしょう。子ども自身が「楽しかった！」と園を好きになってくれれば、それは保護者にとっても最高の入園動機になります。

　また、いわゆる見学会とは違い、より気軽に足を運んでもらえること、入園を具体的に検討する以前の、より年少の親子にも参加してもらえることで、その後につなげていけるのもよい点です。

　さらに在園児にとっては、地域に広く公開することで励みになったり、行事がにぎわうことでより楽しめたりなどの喜びにつながり、ひいては園全体の雰囲気をアップする効果もあります。

　行事によっては、未就園児の親子も参加できるようなイベントや小さなおみやげなどを用意すると、より歓迎の気持ちが伝わります。在園児の手づくりなども心温まるうれしい贈り物となるでしょう。

　いずれにしても、できるだけ多くの親子に参加してもらえるよう告知をすることから始めて、終了後にアンケートなどで感想を書いてもらうと、今後の参考にもなります。

公開に適した園行事

日常保育

●ふだんの保育の様子を見せる。
●在園児の保育の妨げにならないように、申込制で人数を制限するなど配慮する。
●自由あそびの時間、運動あそびやリトミックなどの一斉活動の時間、どちらも見学できるようにする。
●一斉活動の時間を見てもらう場合は、活動の目的なども紹介するとよい。

夏まつり

●見学しやすいように、案内図やプログラムなどを用意する。
●時間制のイベントを実施する場合は、あらかじめ開始時間を知らせておく。
●未就園児も参加できるイベントを用意する。
●未就園児親子もイベントに参加してもらえるよう、積極的に声をかける。

運動会

●見学できる場所を用意し、案内する。
●参加してくれた親子の分のプログラムやお茶などを用意する。
●未就園児参加型の競技では、参加してくれた親子にはおみやげを渡す。

餅つき大会

●参加してくれた親子の分も食材を用意する。
●餅つきに参加できるなど、子どもが楽しめるようにする。

発表会

●見学できる場所を用意し、案内する。
●子どもが成長する姿をイメージしてもらう。
●小さい子どもが騒いでしまった場合の対処法を考えておく。
●余裕があれば、職員を配置する。
●発表会に至るまでの経緯、子どもががんばって練習を重ねた姿なども紹介する。

園舎に工夫がありますか？

❶園舎のイメージが園の理念に合っている

❷定期的にメンテナンスをおこない、明るく清潔感がある

❸安全・安心・災害・防犯に工夫がある

園舎は、保育に対するこだわりをあらわすもので、園のイメージをストレートに保護者に伝えてくれるでしょう。例えば、自然素材にこだわって建てた園舎、子どもの生活の場として家庭的な雰囲気にこだわった園舎、あるいはクラス単位の仕切りをなくしオープンスペースにこだわった園舎などは、園の理念を言葉で語る以上に多くのことを表現し、印象づけてくれます。

もちろん、このように理想を実現できる園ばかりではないと思います。けれど、予算の範囲で効果的なリフォームをしたり、設備に工夫することで印象を変えることはできるでしょう。

例えば、外観について。外から見たときに明るく清潔感のある外観でしょうか。ペンキがはげていたり、植栽が枯れていたり、門やテラスの鉄柵がさびていたりしませんか。古くても手入れの行き届いた印象になるように、こまめなメンテナンスを心がけましょう。外壁の塗り替えに工夫するだけでも、園舎全体の印象は大きく変わります。

また、見た目のよさを重要視する以前に、子どもに対する安全・安心を保証しなければなりません。災害対策、防犯対策などは万全でしょうか。

地震や台風などを想定して各所を補強したり、外部からの侵入に備え防犯カメラを導入するなどの対策が必須となります。

そして、こうした園舎へのこだわり、工夫、努力などは、積極的に保護者に伝えていきましょう。特に、安全面に対する目に見えない部分のこだわりについては、入園へのポイントとなり得るので、しっかり説明することで安心感につなげていきます。

園舎デザインの一例

特徴のある園舎デザイン

明るく開放感があるデザインとして記憶に残る園舎、地域のシンボルとなるような芸術的な建物を考えてみる。

ぬくもりのある木造園舎

自然素材にこだわった平屋の木造園舎。子どもたちが過ごす場として、居心地のよさを大事にしている。

園児を迎える玄関やアプローチの演出

玄関やアプローチに、園の印象的なモニュメントや四季を感じる草花を植え、子どもたちを迎え入れる。

元気でカラフルな色調の保育室

玄関や保育室の一部に DEN（隠れ家）を配置したり、思い切った色彩で内装を工夫する。

園庭・遊具に工夫はありますか？

❶園庭のコンセプトが園の理念と合致している
❷子どもの育ちを意識した環境が整えられている
❸遊具や玩具に工夫があり、手入れが行き届いている

園庭は、園の理念と子どもの育ちに合致しているかどうかが大切です。そのためには園庭の目的をはっきりさせて見直してみる必要があります。園によって、環境や広さで使い勝手に大きく差が出てしまう園庭ですが、工夫次第では園の理念を表現する場となり得ます。

例えば、運動会などの園庭を利用する行事を意識して施工されている園もありますが、1年に一度の行事のために保育が限定されるスペースになっているのではもったいないです。日々の保育でどう使いたいのか、何を経験させたいのかを考えて見直すことをおすすめします。

自然の少ない都会の園であれば、園内で自然とのふれあいができるよう植樹や栽培などに工夫して、植物や虫の観察ができるようにします。植樹の選び方次第で、夏の日差し対策になり、実のなる植物を取り入れることで食育につなげることもできるでしょう。

また、子どもの運動機能を高めたい場合、立体的なつくりにしたり、遊具の選び方に工夫する必要があるでしょう。泥んこあそびなど、創造的でダイナミックなあそびを重要視するのであれば、異年齢で園庭を使う場合のスペースの取り方や、保育室との出入りの使い勝手なども気になるところです。

そのほか、掃除を欠かさず、遊具は定期的にメンテナンスし、砂場は毎日掘り起こすなど、子どもが安心・安全にあそべる園庭であることも基本中の基本です。

また、災害時の拠点になることも想定して、防災倉庫などの設置も検討してみます。保護者だけでなく、近隣へのアピールにもなります。

園庭デザイン・遊具の一例

コンセプトを定め、表現する

・敷地の傾斜を利用して、四季を感じる草花を配置した美しい園庭にする。
・木製遊具にこだわり、手ざわりや座り心地のよい遊具を選ぶ。
・運動しやすく、子どものコミュニケーションがとりやすい工夫をする。
・死角をつくらず、安全面での配慮を十分にする。

子どもが体を動かしてあそべる遊具・可動遊具を工夫する

・子どもの発達に合わせて、様々な動きを引き出す遊具を設置する。
・園のシンボルとなるような、複合的なあそびを体験できる大型遊具を導入する。
・地元の木材や石材を工夫して、遊具をつくってみる。
・芝生の築山をつくり、登ったり滑ったりできるスペースをつくる。
・保護者と一緒につくり上げる園庭を考える。

自然とふれあう機会をつくる

・実のなる木を植える。
・園庭の一部を畑にする。
・プランターなどで植物を栽培する。
・ビオトープをつくる。

雨でもあそべるスペースをつくる

・園庭の一部に屋根をかける。夏はよしずや遮光ネットを張って、日差し対策を考える。
・未満児専用の園庭も考え、安心してあそべるスペースを確保する。

防災時の拠点としての工夫をする

・防災倉庫を設置する。
・井戸を設置する。

玄関の雰囲気を大切にしていますか？

❶来客対応がしやすいスペースを確保している
❷整理整頓され、温かみのある雰囲気になっている
❸保育の様子が伝わる工夫がある

家庭がそうであるように、園においても玄関は、来園者の第一印象を左右する大切な場所です。生活感を出しすぎず、センスよく、それでいて居心地よくありたいものです。

そのためには、何よりもまず、日ごろの掃除、整理整頓を心がけ、すっきりと清潔に整えておくことです。在園児が同じ出入り口を使う場合は、子どもの靴や砂ぼこりなどで、どうしても雑然とした雰囲気になりがちです。でも、「園だからしかたない」とあきらめずに、レイアウトや片づけ・清掃の徹底などで、できるだけ来園者の目に配慮した空間づくりができるとよいでしょう。

予算があれば、収納家具を変えるだけでも、使い勝手がよくなり、印象がグッと変わります。

そのうえで、季節の飾りつけや子どもの作品あるいは芸術的な絵、写真など、子どもが過ごす場としてふさわしい、温かみのある演出ができれば、よりイメージアップにつながります。

また、子どもや保育者の活動の様子が伝わる工夫があると、より親しみがわきやすいものです。例えば、その日の給食の掲示や活動の写真は、だれもが目にできる玄関に設置することで、保護者の反応をみることができます。

また、園の理念や職員紹介を掲示するのも、その園らしさが出てよいものです。保育活動が感じられるように、子どもたちの当番表や先生から保育の様子を紹介するメッセージボードなどを掲示するのもよいと思います。

こうした展示物が、第三者評価の訪問調査でも、園の保育を表現するものとして評価ポイントになった例もあるようです。

玄関デザインの一例

玄関や受付の雰囲気をよくする

・来客にすぐに対応できるよう職員室を配置する。
・保護者へのお知らせコーナーの工夫をする。
・玄関ホールを吹き抜けにするなど、明るく開放感をある空間づくりで園のイメージを上げる。

玄関収納と配置を工夫する

・上下足のほか、冬場のコート掛けや傘の収納に工夫する。
・下足入れの配置次第で、雑然とした空間と玄関ホールを分ける。

保育の様子が見える工夫をする

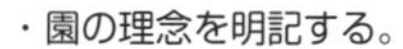

・園の理念を明記する。
・子どもの作品を飾る。
・職員の紹介を写真とともに掲示する。
・季節の飾りをする。
・給食を展示する。

生活感を出しすぎない工夫をする

・子どもの出入り口とは別の玄関がある。
・簡単な相談や待合ができるスペースを設ける。
・ベビーカー置き場を確保する。
・掃除が行き届いている。

保育室をうまく使えていますか？

❶清潔で安全面にも配慮されている
❷生活の場にふさわしい環境である
❸家具の配置や収納に工夫がある

子どもが過ごす場所として、まず清潔であること、安全面に配慮された空間であることは必須条件です。

事故防止対策、耐震対策などは万全でしょうか。また、危険物が落ちていたりすることのないように、こまめな清掃を心がけ、家具などは定期的にメンテナンスをおこなうなど、日ごろの努力も大切です。

そのうえで、子どもが生活する場所としてふさわしいかどうか、あらためて見直してみましょう。子どもが一日のほとんどの時間を過ごす保育園の場合は、特にこの視点が必要です。

例えば、食事の場所と午睡の場所は分けるのが理想です。また、あそびの連続性を意識して、活動スペースと食事スペースを分けている園もみられます。

スペースに余裕がなくても、ホールをランチルームとして利用する、ほかのクラスと活動を融通し合うなど工夫することで、可能性は開けます。また、子どもが活動的にあそぶ場所のほかに、家で過ごすときのように、落ち着いて過ごせる場所も用意したいものです。

いずれも、子どもの立場になって考えることが大切で、具体的には子どもと同じ背丈（しゃがむなどして）になって保育室の見え方を検証してみるとよいでしょう。例えば、大人にとって「棚」である腰の高さのロッカーは、小さな子どもには「壁」であったりします。良かれと思って貼った絵も、子どもの目には高すぎ、視界に入らなかったりすることも。

場合によっては保護者も利用する空間なので、荷物の置き場所、動線などにも配慮が必要です。はじめてでも、迷わずスムーズに利用できるような工夫をしていきましょう。

保育室デザインの一例

収納力と使い勝手を考えた収納を工夫する

・雑然とした保育室にならないように、壁面収納などを採用して収納力を上げる。
・園児が毎日使うものを効率よく配置する。

乳児室に楽しい空間をつくる

・ほふくコーナーを円形にしたり、自然の木を配置して、見てもふれても楽しいスペースをつくる。

教育の場としての家具の配置を考える

・黒板・ホワイトボードの配置に工夫する。
・人数に応じてフレキシブルにレイアウトできる机などの家具を採用する。
・先生の机のまわりを整理する。

居心地のよい絵本コーナーがある

・廊下やホールの一部を使用して、子どもたちがしぜんと集まる楽しい絵本コーナーをつくる。

保育室を可動仕切りで多目的に使えるようにする

・保育室をつなげてホールに使用するなど、多目的に使用できる工夫をする。

食育の場としてランチルームをつくる

・厨房の調理作業を子どもが見られるようにして、食育を保育の一環とする。
・ホールをランチルームとして利用する。

トイレは気持ちよく整えられていますか？

❶清潔が保たれ、手入れが行き届いている

❷明るく開放的な雰囲気である

❸子どもの発達に即したデザインを取り入れている

トイレは、たいていの子どもにとって、自分から行きたい場所ではありませんが、少しでも「行きたい」という気持ちになれるよう、そして、スムーズに排泄の自立を図れるよう、意識して環境を整えていきたいものです。

実際、保護者は園見学の際には必ずトイレを確認します。いちばん大切なのは、清潔であるかどうか。便器や床、壁に汚れはないか、においはこもっていないか。定期的に見回りをして、こまめに手入れができるように心がけましょう。新築やリフォームでは、腐敗しない建材選びや、換気扇の容量など、注意したいポイントも多々あります。

明るく開放的な雰囲気であれば、それは保護者にとって大きな好感ポイントです。古い園舎の場合、トイレは建物の隅につくられていることが多いですが、最近の園舎では園舎の中央などオープンな場所につくることも増えています。建築構造上の問題は簡単には変更できませんが、壁の色や扉の色、そのほかを工夫することで、明るさや開放感を演出するようにしてみましょう。

また、トイレの扉の有無や高さ、便座の形や高さなど、子どもの発達に即したデザインを取り入れるのはもちろんですが、そのほかにもできる工夫はあります。

例えば、トイレの中、あるいはすぐそばに、子どもが座ってズボンや下着を脱ぎ着できるスペースや収納を設けるのもよいでしょう。低年齢児の子どもには、排泄への意識づけとして、おむつ替えスペースをトイレのそばに設けると、その後のトイレトレーニングへの移行もスムーズです。こうした工夫は、介助する保育者の負担も軽減できます。

トイレデザインの一例

Before

After

リフォームで清潔感あふれるトイレに

薄暗く、においが気になるトイレを、明るく衛生的なトイレにリフォーム。
床に水を流さない乾式工法の床や色彩豊かな内装材を選択した例。

トイレの位置に工夫を

常識にとらわれず、園舎の中央にトイレを配置した例。出入りしやすく、廊下との段差もない。掃除用具や消耗品を収納する場を設けることで、見た目にもすっきりとさわやかな印象に。

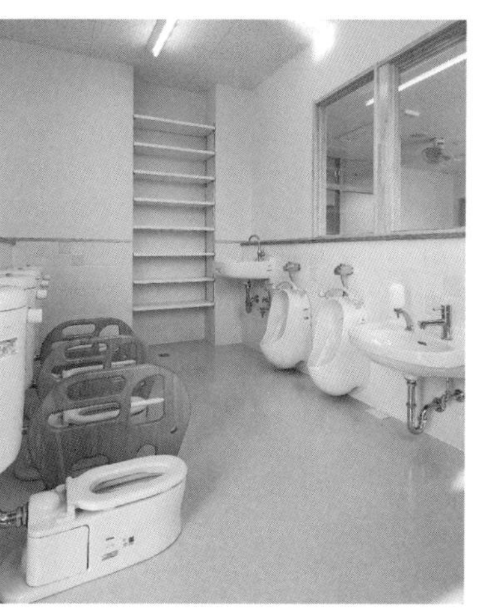

乳児用便器と収納棚

トイレスペースに乳児用の便器を設置することで、排泄への意識づけができる工夫をしている。奥の壁に、たっぷりと収納できる棚を設置したことで、着替えなどにも対応可能。

明るく楽しい雰囲気を演出

左は、壁面にカラフルなタイルを採用した例。トイレが明るく楽しいイメージに。洗面所の蛇口は、衛生面での配慮からも、センサーで水の出るタイプのものになっている。
右は、個室の扉に工夫をした例。動物の形をした扉に、それぞれの動物の好きなものの形で窓がつくられていて、中に人がいるかどうか確かめられるようになっている。

職員室は保護者に開かれていますか？

❶保護者が職員に声をかけやすいつくりである
❷保護者と話ができるスペースがある
❸整理整頓が行き届き、個人情報の管理も万全である

　信頼される園づくりにおいて、職員室は保護者にとっても身近な空間にしたいものです。保護者が子どものことや園生活のことで職員に相談や話をしたいと思ったとき、気軽に訪ねられる雰囲気が大切です。

　玄関脇など、送迎時に必ず通る位置にあるとよいでしょう。そうでなくても、扉あるいは窓はできるだけ開放し、お互いに声をかけ合えるようにしておきます。職員室の前を通りかかった保護者には、あいさつはもちろん、「いいお天気ですね」「お元気そうですね」などとこちらから積極的に声をかけるようにします。

　開放的な職員室である場合、職員室の中が保護者に見えてしまいますから、見苦しくないよう常に整理整頓を心がけましょう。また、個人の連絡先などは壁に貼りがちですが、できるだけ保護者の目にふれないような位置を工夫します。また、書類などの個人情報の管理を徹底するためにも、仕切りや書庫の設置で、情報もれを防ぎます。

　スペースに余裕があれば、ソファや椅子を置くなど、保護者とじっくり話ができるような場所をつくるのもよいでしょう。スペース確保がむずかしい場合は、職員室の中でなくても、玄関ホールや廊下の隅などにコーナーを用意してもよいでしょう。

　また、職員会議やミーティングのしやすいレイアウトにも工夫が必要です。時代の流れに即して、パソコンなどのIT機器の導入にも対応したコンセントや配線の工夫も考えたいものです。

　そのほか、男性保育士の増加からも、職員のトイレ・更衣室への配慮や、個人の持ち物などの貴重品管理にも目を向けましょう。

職員室デザインの一例

保護者の受け入れをしやすい環境になっている

- 玄関や園庭に向かったレイアウトにすることで、保護者対応や子どもを見守りやすいつくりに。
- 整理整頓され、開放的で気持ちのよい環境づくりをする。
- 保護者とゆっくり話のできるスペースを確保する。

職員が利用しやすい工夫がある

- 園児の個人情報など、資料を収納するスペースが豊富である。
- 個人の荷物を管理できるスペースがある。
- 更衣室が設置されている。
- 会議などの話し合いがしやすいレイアウトになっている。

園バスを活用していますか？

❶広告・看板として機能している

❷バスの中の過ごし方に配慮がある

❸保護者との連絡を密にする工夫がある

広範囲から園児を集められる園バスは、園児獲得において大きな強みです。園への送迎を負担に感じる保護者は多いので、幼稚園だけでなく保育園でも園バスを取り入れる園は増加傾向にあります。

この園バスは、実は「動く広告塔」でもあるのです。毎日、通園エリアを巡回し、そのたびに人目にふれるので、園バスの広告効果には絶大なものがあります。そこで、「広告」を意識したバス装飾を施し、地域に園をアピールしましょう。

一方で、まだ小さな子どもを長時間バスに乗せることに不安を覚える保護者もいます。子どもに負担をかけないよう、時間設定やコース、本数、台数などにも工夫が必要です。

また、安全面の配慮としては、シートベルト着用の徹底や職員配置などがあります。さらに、バスの中も保育時間ととらえ、充実して過ごせるように考えるなど、様々な点から保護者の不安を払拭する努力をしていきましょう。

なお、園バスの最大のデメリットとして、保護者が園の情報を得にくいということがあります。園に足を運ぶ機会が少ないのはもちろん、送迎時に担任と顔を合わせるということができにくく、また保護者同士の交流もしにくいためです。

それを楽だと感じる保護者がいるのも事実ですが、ある程度の情報は伝える必要があり、関心をもってもらいたいものです。また、徒歩通園の保護者と温度差ができてしまうのも困ります。保護者と連絡を密に取り合うための工夫が必要でしょう。例えば、親子のふれあいを目的として、定期的に親子登園日を設けている園もあります。

保護者へのアピールポイント

園バスで地域にアピールしている

●園の存在を地域に知らせる「動く広告」
●好印象を与えるデザイン
●運転のマナー、安全への配慮
●子どもが「乗りたい」と感じる装飾を施す
●車体の天井部にも園名を入れて、上層階の人へのアピール

園バスの経路を検討している

●交通量などに配慮し、スムーズな運行ができる経路を設定する。
●園バスの停留所の見直し
保護者が一定時間過ごしやすい安全性に配慮した場所を選ぶ。
●コースや台数の見直しで運行時間を短縮化する。
●行きと帰りの到着時間に配慮したり、一定の間隔でコースを変更することで、個々の不公平感を解消する。

保育時間の設定を工夫している

●バス通園と徒歩通園の登園時間のズレを配慮した時間を設定する。
●帰りの園バスに乗るまでの待ち時間があまり長くならないように工夫する。

遅延連絡システムを整えている

●バスの遅延が生じる場合の保護者へのメール配信システム採用する。
●遅延の判断と配信についての担当者を決める。
●保護者からの電話やメールに対応する担当者を決める。
●様々なトラブルのパターンを想定し、対応方法を決める。
例）バス停に保護者が迎えにきていない

バスの中での過ごし方に配慮している

●送迎の時間も保育ととらえ、有意義に過ごす工夫をする。
●子ども同士の交流や人間関係の構築を考え、座席に配慮する。
●その日の園の様子を保護者に伝えるなど、保護者と職員がコミュニケーションをとる。

よい保育施設の選び方　十か条

一　まずは情報収集を

・市区町村の保育担当課で、情報の収集や相談をしましょう

二　事前に見学を

・決める前に必ず施設を見学しましょう

三　見た目だけで決めないで

・キャッチフレーズ、建物の外観や壁紙がきれい、保育料が安いなど、見た目だけで決めるのはやめましょう

四　部屋の中まで入って見て

・見学のときは、必ず、子どもたちがいる保育室の中まで入らせてもらいましょう

五　子どもたちの様子を見て

・子どもたちの表情がいきいきとしているか、見てみましょう

六　保育する人の様子を見て

・保育する人の数が十分か、聞いてみましょう
・保育士の資格を持つ人がいるか、聞いてみましょう
・保育する人が笑顔で子どもたちに接しているか、見てみましょう
・保育する人の中には経験が豊かな人もいるか、見てみましょう

七　施設の様子を見て

・赤ちゃんが静かに眠れる場所があるか、また、子どもが動き回れる十分な広さがあるか見てみましょう
・遊び道具がそろっているかを見て、また、外遊びをしているか聞いてみましょう
・陽あたりや風とおしがよいか、また、清潔か、見てみましょう
・災害のときのための避難口や避難階段があるか、見てみましょう

八　保育の方針を聞いて

・園長や保育する人から、保育の考え方や内容について、聞いてみましょう
・どんな給食が出されているか、聞いてみましょう
・連絡帳などでの家庭との連絡や参観の機会などがあるか、聞いてみましょう

九　預けはじめてからもチェックを

・預けはじめてからも、折にふれて、保育のしかたや子どもの様子を見てみましょう

十　不満や疑問は率直に

・不満や疑問があったら、すぐ相談してみましょう、誠実に対応してくれるでしょうか

厚生省（現厚生労働省）児童家庭局保育課　平成12年12月

※詳細は厚生労働省のホームページでも確認できます（2015年7月現在）。

第2章

「選ばれる園」の経営計画

園における経営とは

経営とその目的

経営とは、「その目的を達成するために、継続的・計画的に意思決定をおこなって実行に移し、管理・遂行すること。また、そのための組織体」と表現され、会社・企業が営利目的のためにおこなうイメージがあります。

しかし、幼稚園・保育園・認定こども園の目的は法律で定められています。どの施設も「事業」をおこなうところで、「事業目的」「園の理念」を達成できるよう、経営をしていく必要があります。

現在、幼稚園・保育園・認定こども園、株式会社、ＮＰＯなど、事業形態も法人格も様々な園が乱立しつつあります。多種多様な特徴を備えた園があり、保護者の選ぶ選択肢が増えています。

園の事業の目的は、一般の会社や企業のように利益を追求するものではありません。しかし、「事業を継続的・計画的に発展させなければいけない」ということを考えると、園も「経営」という概念を積極的に取り入れていく必要があります。

経営を車に例えると……

目的に向かってまっすぐに走らせるのが経営。
両輪が一緒に回らなければなりません。

幼稚園

学校教育法

第三章　幼稚園　第二十二条　幼稚園は、義務教育及びその後の教育の基礎を培うものとして、幼児を保育し、幼児の健やかな成長のために適当な環境を与えて、その心身の発達を助長することを目的とする。

保育園

児童福祉法

第三十九条　保育所は、保育を必要とする乳児・幼児を日々保護者の下から通わせて保育を行うことを目的とする施設（利用定員が二十人以上であるものに限り、幼保連携型認定こども園を除く。）とする。

認定こども園

就学前の子どもに関する教育、保育等の総合的な提供の推進に関する法律

第一章　総則（目的）第一条　この法律は、幼児期の教育及び保育が生涯にわたる人格形成の基礎を培う重要なものであること並びに我が国における急速な少子化の進行並びに家庭及び地域を取り巻く環境の変化に伴い小学校就学前の子どもの教育及び保育に対する需要が多様なものとなっていることに鑑み、地域における創意工夫を生かしつつ、小学校就学前の子どもに対する教育及び保育並びに保護者に対する子育て支援の総合的な提供を推進するための措置を講じ、もって地域において子どもが健やかに育成される環境の整備に資することを目的とする。

経営の必要性と要素

子どもの最善の利益のために

園が「経営」という概念を積極的に取り入れていく最大の理由は、「子どもの最善の利益」の達成にあります。

つまり園の経営とは、園の理念（教育方針・保育方針）に向けて、職員に安定した職場環境を提供し、地域社会にも貢献し、存在を認められ、それぞれの園の事業の目的を達成し、経営を続けていくことで、「子どもの最善の利益」を達成していくことなのです。

安定した経営への課題

現在、園児や利用者も多く、保護者と職員の満足度が高いとされる園であっても、環境の変化により、将来に不安を感じていることでしょう。不安を感じる原因のひとつとして、経営視点で計画を立てていないことが考えられます。「経営をする」とは、「計画的に運営を続けていく」ことです。経営という概念から作成する「経営計画」は、将来の不安に対する防波堤となります。

これからの「園」は、理念に基づいた具体的な将来像をイメージして、経営計画をつくり、運営をしていくことが当たり前となるでしょう。そしてそれは、どんな時代でも勝ち残れる「選ばれる園」になるために、今まさに私たちが取り組まなければならない課題なのです。

職員が自主的に働きたくなるような職場環境であるか

園児を預けたくなるようなイメージが地域に浸透しているか

職員が成長し満足度を高められる園であるか

園児や保護者に満足してもらえる取り組みをしているか

園の将来像を話すことができるか

理念の明確化

理念の浸透

園の理念があらわすものは、「何を目指しているのか」「何のために存在するのか」です。

理念が浸透している場合と、そうでない場合のサイクルをイメージしてみましょう。例えば、「理念はあるが、浸透しているとはいいがたい」など、自分の園がどの位置にあるのか考えてみましょう。

下図のようにイメージすると、園の理念がいかに大切か、そして浸透させて行動をすることの必要性がわかるでしょう。理念はただ存在するだけでなく、行動に移すことによってはじめて意味を成します。理念の浸透は、組織風土をつくり上げる力になります。反対に、組織風土から理念をかいまみることができる、ともいえるでしょう。

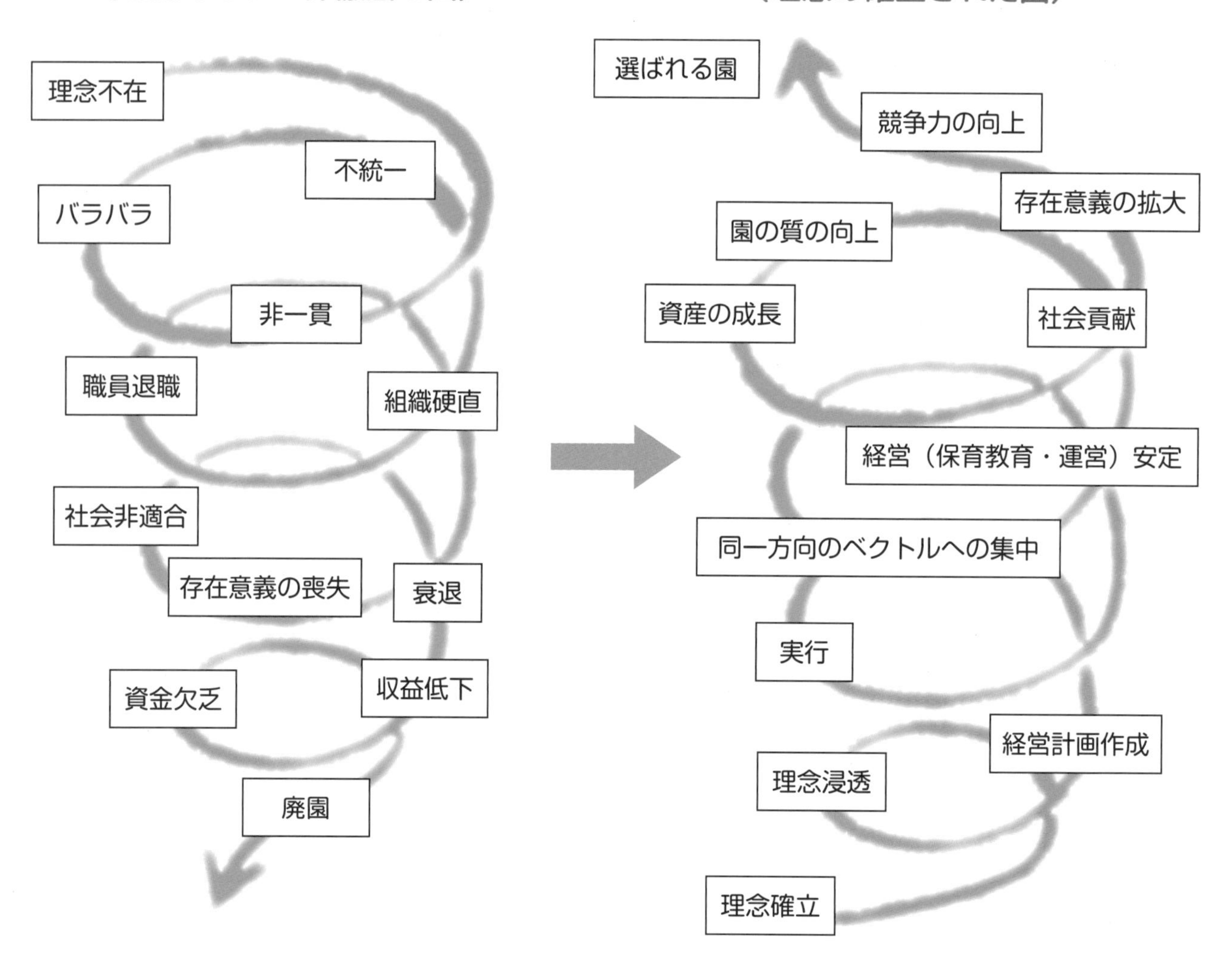

理想の将来像に向けて

まずは、園が親子や地域に何が提供できるかを考えてみましょう。そこから理想の将来像が見えてきます。そして、自らの園を見つめ直すことができます。

保護者の立場で考えれば、子どもには、選択できる園のなかから最善のものを選びたいと思っているはずです。選ばれる園の理由として多くあがるのは、決まって職員の雰囲気や対応がいいことです。施設などのハード面、新築かそうでないかの差は意外と大きくありません。

見た目で大切なのは新しさではなく清潔感です。きれいな場所というのは、その施設を大事にしている職員がいるからといえます。

こうしたことから、理念に基づく経営計画を決定するうえでは、自園と地域の分析は必要不可欠です（114ページ、「競合園調査表」参照）。

理念の実現・達成のためには、具体的な行動に移すための行動指針も必要です（108ページ、「行動指針について」参照）。行動指針とは、「理念を実現するための園としての羅針盤」であり「具体的意思決定・行動のための基準」です。例えば、理念がシンプルすぎる（「希望」「愛情」「元気」など）という場合は、方針としていくつかの行動指針を作成してみるとよいでしょう。

園の理念を「園歌」で表現する

校歌のある小学校は、ほぼ100パーセントですが、園歌のある園は50パーセント以下です。幼少のころにうたった歌も、大人になったら覚えていないだろうとの考えからなのか、園歌が制定されている園の普及率はかなり低いものとなっています。

しかし、園歌は、この先受け継いでいきたい思いや園の理念、地元に密着した歴史を歌詞に込め語り継ぎ、園児たちの心の故郷となりえる唯一の音楽です。また、どこの園よりもすばらしい特性を、長きにわたってアピールできる手段でもあります。そして、大人になっても耳にした瞬間に童心の原点に返ることのできる音楽なのです。

園の理念を明確化するには、園歌に思いを込めてみるのも、ひとつの方法です。

トータルプラン（経営計画）とは

経営計画の種類

経営計画は、理念を達成するための設計図ともいわれています。一般的に経営計画では大きな方向性を決定し、それを生産・販売・経理など部門別の計画に細分化します。園では保育・教育・整備などが、それにあたります。様々な考え方があるかと思いますが、本書では右ページのようにしてみました。

経営計画には、長期・中期・短期とあります。まず、園の理念に向けての長期計画を立てるのですが、長期を10年間とするなら、「10年後の目指す園の姿」をイメージできているか、ということになります（110ページ、「長期経営計画書」参照）。

しかし、いきなり10年間の計画を立てることはむずかしいでしょうし、その通りの実行は、さらに困難なことでしょう。具体的な計画は中期計画で立てることになります。

中期計画は、ここでは3年間としました。10年後を目指すとなると、3年間を3回、プラス1年間というサイクルになります。

短期計画は1年間です。3年間の中期目標に向けて1年間どう行動するかを計画します。ここでは、園の目的に向けた個人の目標計画も設定します。個人個人の行動の積み重ねが、園の目的・目標に結びつくからです。また、個人計画は1か月か、3か月か、4か月の目標を設定して、必ず進行状況を確認します。

このように、将来に向けて段階を踏んだ計画を立てることにより、社会やニーズの変化に柔軟に対応でき、職員や利用者の将来に向けた不安感を少しでも減らすことができるでしょう。

短期計画には、いくつか種類があります。基本的な経営計画だけでなく、項目ごとに細分化した各種計画です。保育計画、教育計画、資金計画など、園の状況によって項目を設定します。これらも、前年度の反省点などをふまえて、毎年手直しをしていかねばなりません。そして、その単年ごとの計画は、長期的な目標、つまり10年後の園の姿を視野に入れて作成してみましょう。

園の理念（あるべき姿）園の目指すもの

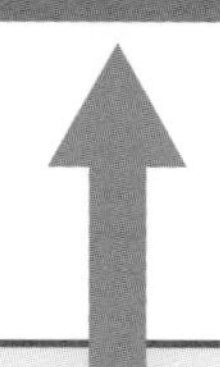

行動指針

園の理念に基づく羅針盤

職員一人ひとりがとるべき態度・決めるべき事項・進むべき方向

長期経営計画

園の目指すもの（10年後のあるべき姿のイメージ）
10年を大きなひとつの区切りとした計画
園の理念に基づいた10年後の園の姿

中期経営計画

3年ごとに区切りをつけた計画
長期経営計画を基に作成

短期経営計画

1年ごとに区切りをつけた計画
中期経営計画を基に作成
園としての計画はもちろん、
個人ごとの短期計画も

各種計画

保育計画・資金計画・事業計画・
教育計画・整備計画など

経営計画

トータルプラン（経営計画）と園の資産

園の資産とは

計画を始める前に、園の「資産」について考えてみましょう。「資産」と聞いて思い浮かぶのは、まず「お金」でしょうか。また「建物」や「土地」といったものも重要な資産です。モノやお金はすべて資産といえますが、それ以外にも園の資産はたくさんあります。

「職員」はどうでしょうか。現場の職員の重要さは説明するまでもありません。大切な資産です。また、今日まで培ってきた「経験」はどうでしょうか。長年にわたる教育・保育の経験とともに、様々な「情報」も大事な資産といえます。さらに「信用」はどうでしょう。長年の積み重ねがなければ、信用と信頼は生まれませんから、これも大切な資産といえそうです。

さて、ここまできて何となく「資産」というものが見えてきたのではないでしょうか。

経営計画が資産を増やす

そこで、例えば将来、園が発展した姿をイメージしたときに、今現在と何が違っているか考えてみましょう。

仮に、次のような目標を掲げたとします。

- **3年後に園舎を新しくしたい**
- **3年後に自主的に教育・保育のできる職員に成長してほしい**
- **10年後に「地域で一番」といわれるイメージの園にしたい**

これらの目標が達成されたとき、園が発展したといえます。それは、言い換えれば「園の資産が成長した」といえるのです。しかし、ここで重要なことは「意識した成長」なのかどうか、ということです。成長を常に意識していくためには、計画に基づいた行動が必要だからです。

経営計画の巧拙で大きく差がつく

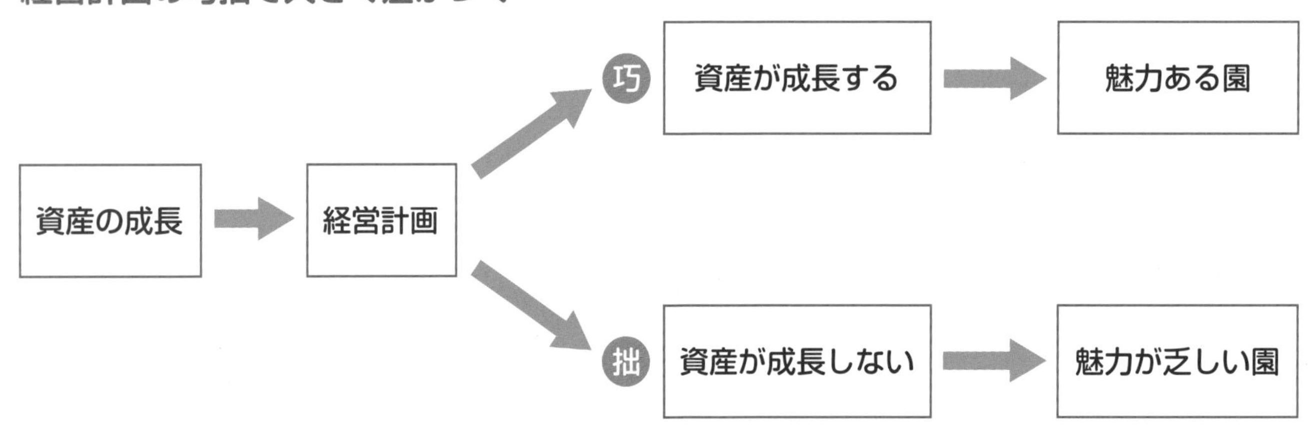

資産の種類と成長

資産の種類

園は１年ごとに事業計画に基づいた利用料や補助金などの収入を得て、職員が行動し、物を購入するなどして経営していきます。確かに、毎年そのくり返しで職員は成長し、物も充実していきます。しかしそれは、その職員が経験を積み、備品がそろっただけではないでしょうか。これは、「資産の成長」とはいえません。

場合によっては、職員の入れ替わりで成長の底上げが図れないことや、物が活用されずただの置物になってしまうことなどが考えられます。では、資産とは何を指し、「資産の成長」とはどういう状態をいうのでしょうか。

まず、資産の種類を見てみましょう。経営における資産とは、ヒト・モノ・カネとよく耳にしますが、実はそれだけではありません。

例えば、新設の園は別として、既存の園では、今まで培ってきた保育経験やその記録（ノウハウ）・つくり上げてきた信用（ブランド）、職員の対応（モラルの高さ）、その園の組織風土、地域や保護者の情報など、目に見えないものも含めて、様々なものがあげられます。

特に信用は、今までの事業活動の結果として生み出されてくる経営資産のひとつです。今日まで培ってきたもの、積み重ねてきたものは、すぐには真似できず、お金で手に入れることもできない、一朝一夕には得られないものです。

これらの「見えない資産」と、ヒト・モノ・カネなどの「見える資産」すべてが大事な資産であり、園の理念・経営計画の根本にあるのです。これらをより多く、よいものへ成長させていくことを、ここでは「資産の成長」と呼びたいと思います。

資産を文章化する

「見える資産」「見えない資産」をよりよいものとして育てていくためには、文章化する必要があります。ひと口に文章化といっても、特に見えない資産のほうは把握がむずかしく、文章化しづらいものですが、一度できあがると、それは活用しやすいものになるはずです。

それを、園の組織で共有することで、よりよい成長を促すための考えが見えてきます。「見える資産」と「見えない資産」のバランスをうまくとりながら、課題を一歩ずつでも達成し、資産を成長させることで、園の理念に近づけていくことができるでしょう。

資産の種類

実際に書き込んでみてください。

園の資産	現在の内容状況
見える資産 ヒト（職員） モノ（園舎備品・外観設備） カネ（資金） など	
見えない資産 技術・知識（ノウハウ） 信用・ブランド 職員の能力・モラル 組織風土 地域・保護者の情報 など	

成長のためのサイクルづくりを

資産の成長には経営計画が欠かせないことは、これまでに述べたところですが、どんなにすばらしい経営計画を立てても、それを実行できなければ意味がありません。また、既に実行可能な目標であるなら、それは経営計画とはいえません。なぜなら、すぐに実行できる基盤があるということになり、長期的に計画する意味がないからです。

今現在の環境において、実行できるだけの内部基盤がなければ、その欠けている部分を補い成長させながら、目標を達成していくことが経営計画を立てる意味のひとつになります。

成長とは、目標を定め、それを達成することで実感し、形を成すものであり、無理に促すものでもなく、まして、ただ見守っているだけでは足りません。経営計画に基づき、適度に管理し、定期的に評価と反省をくり返すことで、少しずつ実感できるようになるものです。

選ばれる園には当然、園児が集まります。必然的に、園の運営は資金面で充実します。逆に、園児が集まらなければ、年々資金的に厳しくなります。経営計画を「絵に描いた餅」にしないためには、成長のためのサイクルづくりが必要です。

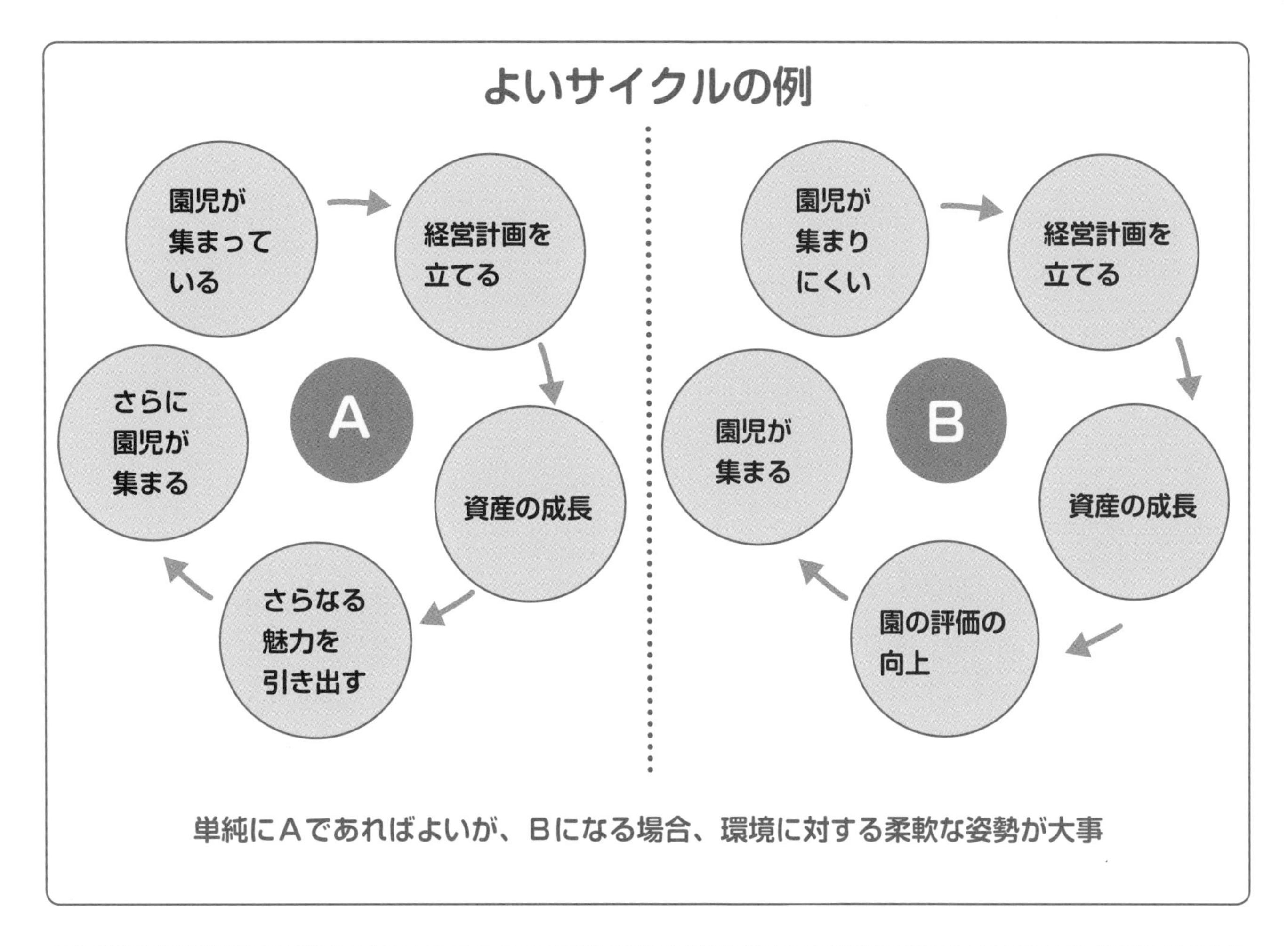

資産の成長構造

資産の成長を植物の成長に例えると、まずは土壌をしっかりさせること。土壌がよくないと、成長のバランスが悪く、傾いたり、いびつになってしまいます。理念は根の部分になります。根がしっかりしていないと、どういう園に成長していくのかが不透明になってしまいます。よい理念や目的があってはじめて、よい成長を促すことができます。

もし、園の理念と別に教育方針・保育方針があって、理念とのズレが感じられるようであれば、この機会に整合性を検討してみてはいかがでしょうか。違った側面から、新たな園の考えが見えるかもしれません。

経営計画で考慮すべき「対応」

3つの対応

経営計画で考慮すべき対応には、大きく分けて、制度対応・ニーズ対応・競争対応の3つがあります。

これらのバランスをとるために欠かせないものが情報です。経営計画を作成する段階では、様々な情報を集め、分析する作業が欠かせません（92ページ、「作成のフローチャート」参照）。

例えば、運営のバランスをとるためには、制度に対する情報を集め理解すること、また、法律の表現等が難解な制度や通知内容を読み解き、自園の運営とどうからめていくかを検討することが必要です。

長く積み重ねてきた園の資産や組織風土といった内部環境は、これらに対応するためのもので、その土台は、意識してつくり上げることで、より安定したものに成長していきます（82ページ、「トータルプラン（経営計画）と園の資産」参照）。

①制度対応

既存の、または新しい制度に適応させて、園の運営を実行していく。

②ニーズ対応

地域や保護者のニーズ変化に合わせて、保育・教育活動をしていく。

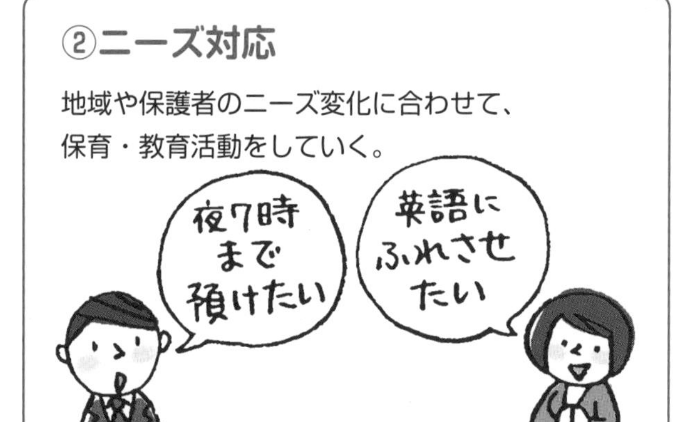

③競争対応

他園の強みや弱みを知り、自園の強みを生かし魅力を伝える。

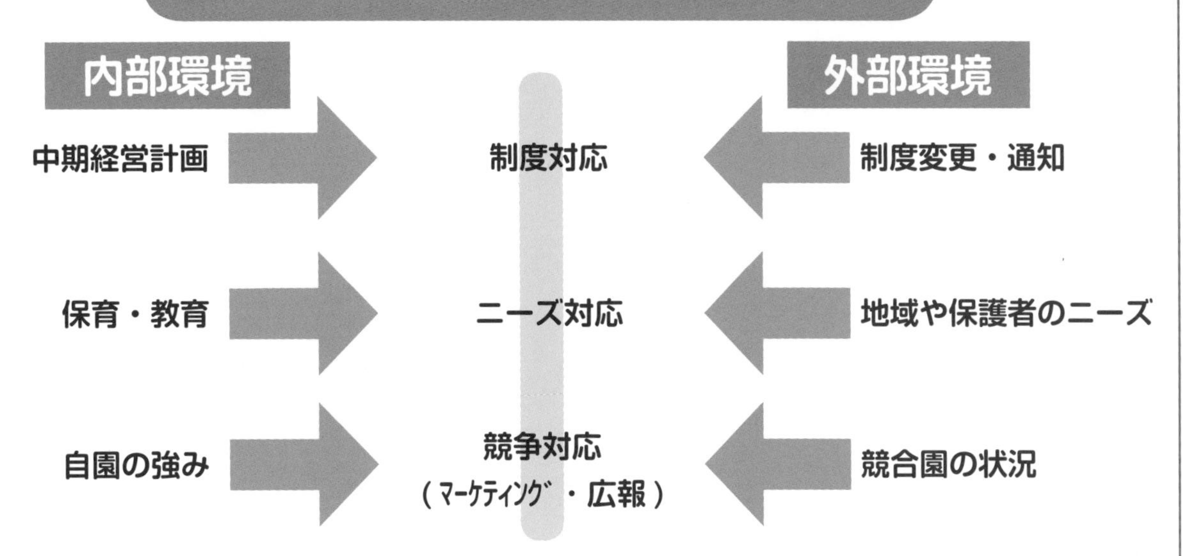

＊環境への適応

いわゆるバランス（均衡）ではなく、外部環境に対応して柔軟に経営計画を見直していくこと。新たな制度変更や新たなニーズ、他園の変化を受けてさらに進化（適応）させていくこと。

ニーズについて

目標を達成するためには、ニーズへの対応が不可欠です。ニーズには大きく２種類あります。顕在的ニーズと潜在的ニーズです。

ただし、すべてのニーズに応えることがよいことではありません。園の理念に合ったニーズを選別して、日々の行動につなげていきます。そして、変化するニーズに対応できるように、経営計画には柔軟性をもたせることが大切です。

顕在的ニーズ

顧客が「これが欲しい」と具体的、明確に表現する。保護者からよく言われる要望など。

潜在的ニーズ

顧客が明確に表現できず、多くの場合は商品やサービスを見てはじめて「こんなものが欲しかった」と気づく。

経営計画の役割

経営計画の役割とは何でしょうか。
ここでは、次の７つの項目をあげました。

1．理念の実現のため

あるべき姿である「園の理念」を実現するための道筋です。

「この園は何を目指しているのか、何のために存在するのか」という園の理念（78 ページ、「理念の明確化」参照）を実現するためには、経営計画を作成し、それを個人個人の日々の活動から組み立てていく必要があります。

また、理念達成のために「一定期間内にどこまで、どれだけ実現させるか」「そのための具体的行動をどうとるのか」が、経営計画の役割といえます。

経営計画はあくまで理念達成への手段・道具であり、目的ではありません。職員一人ひとりが経営計画に参加し、日々の仕事が経営計画につながり、それらの実績が上がっていくことで、「子どもの最善の利益」が達成され、園の発展・職員の資質が向上していきます。

2．園の共通の指標

理念を達成するための具体的な指標です。

経営計画で示している行動ができているかどうか、その行動をするとどうなるのか、その道筋を示すのが指標です。経営者・職員が同じ方向・共通の目標をもって活動していかなければ、理念の達成はできず、「選ばれる園」になることもむずかしいでしょう。

また、園には様々な計画があります（80 ページ、「トータルプラン（経営計画）とは」参照）。それらは、それぞれが独立したものでは、場合によっては方向性がバラバラになりかねません。経営計画はすべて計画のベクトルを同じ向きにするという役割ももちます。目標が共有されていなければ、組織的に目標に取り組むことはできません。

3．長期的視野に立った組み立てと運営

理念の実現には、長期的な視野が必要です。

目先のことにとらわれて、先を考えることができなければ、経営計画は実現しません。長期的視野に立って、様々な情報をまとめておくことはもちろんのこと、それらを分析し、運営していかなければなりません。

経営計画があれば、計画と現実の差がわかるため対応策がとれますが、なければ場当たり的な対応になってしまいます。10 年後にどんな園にしたいのか。少し先の将来のことですが、子どもたちがあふれ、子どもたち・保護者・職員の笑顔が絶えない園の姿を想像することで、園が何のために社会・地域に存在しているのか、どんなことで社会の役に立てるのか、職員の成長を楽しみにするなど、楽しい気持ちになって考えてください。

夢と希望に満ちた１０年後を想像して、経営計画をつくっていきましょう。

４．変化へのすばやい組織対応

速やかに変化に対応できる力（柔軟性）を備えておくことが大切です。

例えば、制度の変更があったり、保護者のニーズが変化した場合でも、変化に合わせて経営計画の内容を変更することで対応できます。

また、外部環境だけでなく内部環境の変化にも常に対応しなければなりません。すばやい組織対応のためには内部・外部環境の把握はもちろんのこと、職員全員が経営計画を把握しておくことが重要です。経営計画があれば、目標と実際のギャップを認識できるからです。そうすれば、計画のどこをどのように修正すればよいか、すばやく対応できるでしょう。

５．将来の不安に対しての防波堤

予想ができない将来のための「あるべき姿」を示すことが、安心感につながります。

経営計画を立てるいちばん大きなメリットは、経営の軸を手に入れられることです。経営計画がないと、その時の経営者の気分によって、方向性があっちに行ったりこっちに行ったりと、経営の軸がブレてしまいます。

反対に、目標に向けて行動すると、働く意義もできます。自分が働く職場の１０年後の園の姿をイメージできれば、職員一人ひとりが働く意欲をもつことができ、現状の不安感を和らげる効果もあります。もし、外部から揺さぶりを受けても、園はそれを受け入れるべきなのか、無視するべきなのかを判断できます。ブレない軸をもつことは経営を安定成長させることになります。

経営計画がない場合　×

経営者と職員間における個人同士の
会話でのやりとりになる。
全体的な共通認識や意識に差が生じる可能性がある。
将来や経営者に対する不安要因になる恐れがある。

経営計画がある場合　○

経営者と職員が同じ方向を向いて行動できる。
一定の人に経営が依存しないので、
批判・提案・改善ができる。
将来がイメージできるため、安心感につながる。

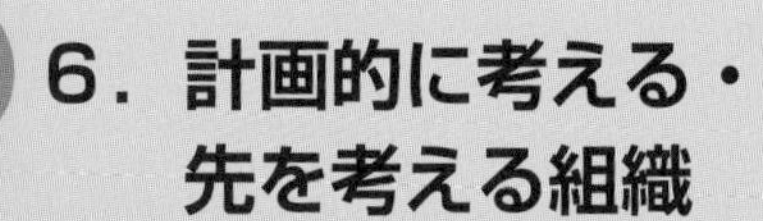

6．計画的に考える・先を考える組織

職員それぞれが自ら考え、主体性をもつことが、モチベーションの向上をもたらし、組織の充実や発展につながります。

短期計画における個人の目標を掲げることで、目の前の作業が、将来に向けての行動なのだという意識をもたせることができます。また、計画的に行動することで、常に先を考えることができるようになります。主体性とは、自分の思いで何でも主張することではなく、自らの役割を考えたり、自分の仕事の目的を意識できることです。

7．計画に対して提案できる土壌をつくる

職員それぞれが自分の計画を立てることで、計画的に考えられるようになり、さらには、共通の認識をもつことで、それに向けた提案を職員自らできるよりよい風土をつくり出すことができます。

園の経営を、園長や理事長といった個人に依存するのではなく、経営計画に依拠することによって、職員が経営計画への提案や意見をしやすくなります。職員からの提案や意見が拾えなければ、反省もしづらく、差異にも気づきにくくなります。

Column

トータルプラン(経営計画)をつくる意味はあるのか

Column Column Column

計画通りにいかなくても意味がある

トータルプラン(経営計画)とは、今後どのように園を経営していくのかをまとめたものです。「プラン(計画)」という言葉が含まれているためか、「計画を立てたとしても計画通りに運ばれることが少ないため意味がない」という批判を聞きます。もちろん、計画通りに進めばよいのですが、それがすべてではありません。目的は、自園がおこなっている園の運営について将来を想像しながら考えを深めていくことにあります。

経験だけに頼った園の経営は、組織を疲弊させる

また、「自分の経験を頼りにしているから、計画は必要ない」と言う方もいます。確かに、園のことをだれよりも知っていて、考えているのは経営者ですので、間違いはないでしょう。

しかし、職員側から見たときにはどうでしょうか。経営者の考えや園の方向性が見えないため、職員は自分が何をしたら貢献できるのかがわからず、指示を待つだけの主体性のない人材に育ってしまいます。

また、経験だけを頼りにしていると、成果を検証することができません。「よくわからないけどうまくいったね」というのでは、再現性が低く、せっかくの成功経験が無駄になってしまいます。経営者の加齢による判断の変化など、単なる思いつきでの運営も職員を振り回すだけで、組織を疲弊させます。

組織全体で成長できる園経営を

トータルプランの利点は、成功・失敗事例が蓄積されることにあります。事例を参考にして、少しずつ成功する確率を高めていくことに意義があります。ここが経験だけに頼った経営との大きな違いです。長い年月をかけた場合には、両者の差は大きなものとなっていることでしょう。

トータルプランがあれば、たとえ経営者がいなくても、職員が過去の事例を参考にしながら計画を作成することが可能になります。これは、後継者問題を考えるときにも大変重要なことです。個人としてではなく、園全体で資産を引き継ぎ、運営を承継していく必要があるからです。

安定した経営のためにも、最初は簡単なものでよいので、トータルプランをつくってみてください。

作成のフローチャート

経営計画は理念の達成を目指すことによる過程で、園の資産の成長を促すものです。
経営計画の作成自体が目的ではありません。行動してはじめて作成の意味があるのです。
成長の段階を長期、中期、短期と、３つの段階を描くことで、より具体化します。

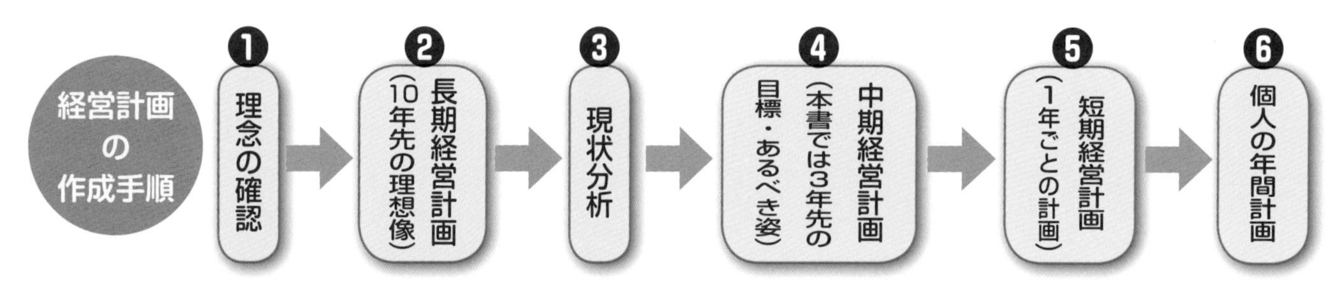

1．理念の確認

「何を目指しているのか」「何のために存在するのか」といった、将来に向けての園の社会的存在意義を考えます（78ページ、「理念の明確化」参照）。また、経営者のみで検討するのか、職員と一緒に検討するのか、方法なども様々です。

2．長期経営計画

「長期経営計画書」（110ページ参照）を用いて作成します。

園の方向を決める大事な部分ですので、慎重に考えましょう。例えば、10年後の園案内（パンフレット）で何をアピールしたいのか。10年先の社会情勢や園を取り巻く環境がどうなっているかわかりません。そのため、抽象的な内容でもよいでしょう。

3．現状分析

「環境分析表」（112ページ参照）を用いて、次の４つを記入します。

- ３年前
- 現在
- このままの場合の３年後のイメージ
- 理想とする３年後に向けての対応方針

現状分析は、どのようにイメージとのギャップを埋めるかが課題です。そのためには、園を選ぶ保護者の目線になって考えることが大切です。過去をふり返ると、自園の成長や現在におけるこれまでの環境変化を把握し、自園を客観的に見ることができます。できれば、他園との比較表もつくってみましょう（114ページ、「競合園調査表」参照）。

4．中期経営計画

「中期経営計画書」（117ページ参照）を用いて作成します。

中期を３年とするか５年とするかは、それぞれですが、本書では３年としました。現在から３年後までの計画ですから、現状分析をしたあとならイメージしやすいのではないでしょうか。３年おきに見直しをおこないます。

注意点としては、３年間ではなく、３年分を１年ずつ作成することです。この、中期計画で作成した１年ずつの計画が、このあと作成する短期計画の目標になります。目標が達成できるかどうかも考慮しながら、目標＋努力目標の形で検討します。

収支予算もイメージしておきます。園児が増えること（または離れていかないこと）による客観的な指標になるからです（96ページ「現状分析の方法」、100ページ「数値目標」参照）。

5．短期経営計画

「短期経営計画書」（119ページ参照）を用いて作成します。

PDCAサイクル（106ページ参照）に配慮しながら、毎年必ずつくります。

作成者は、教員・保育士・栄養士・事務員などの職種別でもいいですし、年齢やクラスごともいいでしょう。教育力・保育力・食育力・管理力という、ステータス別に分けてみるのも、ひとつの方法です。園の実状・目標により決めてください。

施策（プラン）は１～５個程度の欄を設けました。あらかじめ10個ほど考えてみて、そのなかから５つを選ぶ方法がおすすめです。

行動計画は３か月ごとにチェックできるようにしています。

単年度であっても、数値目標は必須です。中期経営計画と同じく、数字で把握し、達成できたかどうかの確認が大切です。

6．個人の年間計画

「個人計画書」（122ページ参照）を用いて作成します。

年間を通しての目標はあまり細かくせず、定期的な状況確認（反省）に合わせて、細分化をすることです。年間の目標に対して３か月後ではどうか、などです。また、職種・立場に合わせることも大事です。

短期計画とリンクしているか、意識して作成しましょう。一人ひとりがどうやって園の短期計画を達成するか、そのなかで果たす自分の役割は何かを考え、目標化するとよいでしょう。

個人計画の年間計画サイクル

個人目標決定（計画作成）→ 発表確認会議 → 実行 → 毎月、もしくは３～４か月に１回の進行状況確認会議（反省）→ 軌道修正 → 年間の反省 → 次年度計画作成 → 個人目標決定（計画作成）

実行のための考え方

10年後を意識する

経営計画は、一度作成したら終わりではありません。現状は常に変化していきます。環境の変化に柔軟に対応するためには、くり返しの見直しが欠かせません。

長期計画という10年後の姿に対して、今の園の資産のなかに欠けている部分があるのは当然のことです。その欠けている部分を補い、またよい部分は成長させるために、中期計画や短期計画を立てる意味があります。

10年後の目標を達成するには期間が少し長く感じます。そこで、短期計画のなかに小さな達成目標を組み込むとよいでしょう。

また、短期計画のなかに、職員の多くが同じことを集中しておこなう機会を設けることで、計画の存在に勢いをつけ、中期計画・長期計画につなげていくのもおすすめです。例えば、企業ではキャンペーンの課題に取り組むように、例年通りの行事やカリキュラムではなく、一部に新しいことに取り組んで、それを達成するなどです。

環境の変化に応じる

環境の変化に応じて、園も変化していくのは、ごくしぜんです。変化に対応できる園であり、変化に対応できる職員がいる。経営計画とは、そうすることができる資産を育てるためのものでもあります。ただし、理念に基づいた変化という点は、ブレないようにしましょう。

いずれにしても、私たちは「子どもの最善の利益」のために経営計画を作成し、園を運営しているのだということを忘れないでください。

長期経営計画の作成ポイント

長期経営計画は、10年後の園の姿を想像しながら作成します。最初に決める方向ですから、真剣に考えましょう。大事なことは、「園の理念に基づいているか」、そして、「どういう園にしていきたいか」、この２点です。

例えば、10年後の園案内（パンフレット）で、どんな魅力を表現したいかを考えてみてください。具体的なイメージがわいてくるのではないでしょうか。

計画づくりで注意点すべきは、主に次の３点です。

1．きめ細かい手配りができるものであるか

「手配り」とは、物事をする際、人をそれぞれにふり当てて準備すること。また、必要なものを用意したり、段取りをつけたりすることをいいます。

経営計画は、きめ細かな手配りができる＝柔軟な対応ができることが理想です。特に長期・中期計画に関しては、柔軟に対応できることが望ましいといえます。短期計画についても後ほどふれますが、くり返し再確認することが大事です。確認し、反省することで変化させていきます。

計画は変化して当然ですが、理念と、園が目標とする10年後の姿は、簡単に変更しないようにしましょう。

2．財務的に耐えられるものであるか

10年後の姿では、園の外観も変化しているでしょう。そうした建設に向けての積み立て計画に始まり、園児の教育、生活の環境づくりのための設備投資や備品の購入、質の高い職員に向けての研修、安全性を高める取り組み、ホームページの作成やリニューアルなども含めて、財務的に耐えられるかどうかもポイントのひとつです。

3．だれがつくるか、だれとつくるか

経営者が一人で計画し発表するのと、職員と一緒に計画するのとでは、経営者側と現場の職員との目線の違いから、10年後の姿も違っているはずです。

実行するのは、園長と職員です。計画を理解してもらうためには、園長と園を理解できる中心的職員でつくりましょう。

現状分析の方法

環境分析表の構成

経営計画の作成は、まず現状を分析することから始まります。そこで、「環境分析表」（112ページ参照）を作成してみましょう。

環境バランスを考えるうえで、情報を集めることの大切さは言うまでもありません。しかし、情報は集めただけではただの文字の羅列でしかなく、また一過性のものになってしまいがちです。それらをまとめ、環境分析表に記入していきます。

（ア）外部	地域の状況や変化、園が対象にしたい保護者層、行政制度の現状および変化などの７点。外部環境としては大きなくくり。
（イ）他園の状況	外部環境のひとつ。近隣の競合園の情報をまとめる。
（ウ）ニーズ	顕在的なものと、潜在的なものと２通りある(87ページ参照)。
（エ）内部	自園の内部環境。自園のことでも、表に書き込むことで、より客観的な判断ができるようになる。
（オ）その他	（ア）（イ）（ウ）（エ）に該当しない情報を書き込む。

環境分析表は、（ア）外部、（イ）他園の状況、（ウ）ニーズ、（エ）内部、（オ）その他の５項目で構成しています。

さらに、項目ごとに「３年前」「現在」「このまま３年後」の時系列での検証と対応方法を含めた４つから成り立っています。

３年前から現在までを客観的に見ることで、このままでいった場合の未来(３年後)を予測し、その対応方針をそれぞれ記入すると、中期計画の作成材料となります。

内部環境と外部環境は、表を埋めていくと自動的に分類されます。１つの情報が、複数の項目に記入されることもあるかと思います。それはその情報を見る角度で変化しますので、重複しても問題ありません。

情報の集め方

表の作成段階では、職員・保護者・園児の要望や、口コミ、近隣の方々の意見、近隣の園の情報などを可能な限り集め、情報の必要・不要を選別することなく、どんどん書き込みましょう。情報は多ければ多いほど、活用の幅が広がります。

保育園では第三者評価の結果を参考にしたり、園独自でアンケートをとってみるのもよいでしょう。これらは、保護者や地域のニーズを選別する作業にもなります（86ページ、「経営計画で考慮すべき『対応』」参照）。

情報集めにおいて、最も気に留めておきたいのがクレームです。クレームは可視化しにくく、表に出にくいものです。しかし、クレームをマイナスにとらえず、園に対する期待や要望と考えることで前向きな検証ができます。クレームによる問題点が改善されると、園への満足度や期待値が高くなります。利用者への大きなアピールになるでしょう。

環境分析表は、現状の把握だけでなく、経営計画を職員へ浸透させる際にも活用できます。さらに、環境分析表とは別に「競合園調査表」の書式も用意しました（114ページ参照）。他園との比較を詳しくされたい方は、ご活用ください。

ブレーンストーミングで情報集め

情報が出にくい会議・園環境がある場合は、ブレーンストーミングという方法をとってみましょう。ブレーンストーミングとは、問題やテーマに対して、参加者が自由に意見を述べて、多彩なアイデアを得るための会議法です。

ポイントは、出てきた情報に対してコメントを述べないように徹底することです。せっかく意見を出しても、経営者や先輩から何かひと言いわれると、それを気にして会議が盛り上がらなくなってしまうからです。

これは、アイデアを出してもらう会議などでも同様で、そのアイデアが実行可能かどうかは、あとで考えればいいのです。

内部環境と外部環境のより深い分析法

環境分析表の作成にあたって、補足として関連する分析方法を２つ紹介します。

図Ａは、SWOT分析といわれるもので、内部環境を「強み（Strength）」「弱み（Weakness）」、外部環境を「機会（Opportunity）」「脅威（Threat）」と、２つずつ、４つの項目に分けるものです。これは、環境分析表の（ア）外部と、（エ）内部の「①強み・弱み、他園より有利なこと・不利なこと」などと関連づけられます。

ここでのポイントは、内部環境の弱み（W）を把握し、すぐに改善できるものは、短期計画でとりかかることです。また、３年前から同じ項目が残っていれば、長期的に改善しなければならないのか、短期で改善できるのかを検討し、中期計画のうちに減らすことができるよう心がけるべきです。それが、環境分析表の対応方針とつながります。

一方、外部環境の脅威（Ｔ）は自園ではどうにもならないものなのか、中期計画で少しでも影響を減らすことができるものなのかを検討することで、今後の対応方針につなげることができるでしょう。

図Ａ

	強み　S（Strength）	弱み　W（Weakness）
内部環境	他園より有利なこと 保護者にアピールできること 例）充実した教育内容など	他園より弱いこと 保護者にアピールできないこと 例）規程の不備など
	機会　O（Opportunity）	脅威　T（Threat）
外部環境	自園にとってよい制度・環境の変化 例）マンション建設など	自園にとって悪い制度・環境の変化・他園の強み 例）人口の流出など

※「強み」が見つからない場合も、「ない」「思い浮かばない」という認識をもつことが大切。

保護者層の分析方法

保護者層を２つの項目に分けて分析する方法が、図Ｂです。

環境分析表の（ア）外部の「③保護者へアピールできること」と「④対象としたい保護者層」を検討する資料になります。保護者層の分け方は様々ですが、家族構成、職業、所得、年齢などで分類してみましょう。

いま、園を利用している保護者層はどういった園の内部環境を魅力と感じているのか、また、園が将来対象とする保護者層に向けてアピールできることとは何かを考えていく表です。これは、環境分析表の現状の（エ）内部を把握することとリンクします。

図Ｂ

	現状の魅力	新しい魅力
今の保護者層 例） 地元出身者が多い 実家が近いか、同居 きょうだいが多い	今の魅力をさらに強化し、 今の保護者層を増やす計画 ●園の歴史を大切にしつつ、行事や遠足などにひと工夫する。 ●職員が園の理念を理解し深めるよう指導する。	今の保護者層に対して 新しい魅力をアピールする計画 ●一部に新しい行事や、カリキュラムを取り入れる。 ●経営計画に基づき、職員の資質向上を促す。
新しい保護者層 例） 他から移ってきた マンション住まい 一人っ子が多い 若い保護者層	新しい保護者層に対して、 現状の魅力を伝える方法を計画 ●一部に新しい行事や、カリキュラムを取り入れる。ホームページの活用など。 ●新しい保護者層に対応するための研修、行動、計画をする。	新しい保護者層に対して 新しい魅力をアピールする計画 ●まったく新しい取り組みをする。 ●まったく新しい取り組みのための職員研修をおこなう。

保護者層と自園の魅力（強み、他園より有利な事、設備の状況など）を埋めることで、３年後へ向けての園の展開と入園してほしいターゲット層を関連づけて考えることができます。

待機児童のいる地域では、行政による保育園の利用調整はあるでしょうが、必ずしも保護者はどこでもいいと思って子どもを預けているわけではありません。希望する園のイメージはあるはずです。現状、待機児童がいる地域にもかかわらず定員割れを起こしている園では、この顧客のニーズを一度見直してみる必要があるでしょう。反対に定員オーバーしている園であっても、将来のことを考えて作成してみるよい機会かもしれません。

数値目標

数値目標

経営計画には、数値目標が存在します。環境分析表（112 ページ参照）には「このままの状態で 3 年後」を予測して対応方針を記しますが、中期計画では、その対応方針を実践した結果、どう変化するかを予測します。その変化と数値目標が、応えていくニーズと直結するでしょうし、資金の増加もそこにつながります。

具体的に目標の園児数を設定し、職員の増減、予想される経費等も考えて、今後 3 年間の収支をつかみ、数値目標を考えます。

資金計画でも、具体的な金額を算出しなければなりません。園舎の建て替え、大規模修繕、不測の事態に備えた人件費の確保などには、必要な資金の積み立てが必要になります。

例えば、園舎の建て替え予算は、原価償却費の額で算出します。3 億円で建てた木造園舎は、約 20 年で減価償却するため、20 年後が建て替えか大規模修繕の目安になります。この場合、毎年の減価償却額は単純計算で 1500 万円になりますが、補助金や借入金を利用して自己資金 1 億円で建てた場合は、次に建て替えるときも、それらを考慮できる可能性があります。

資金計画の一例
園舎を 20 年で建て替える場合

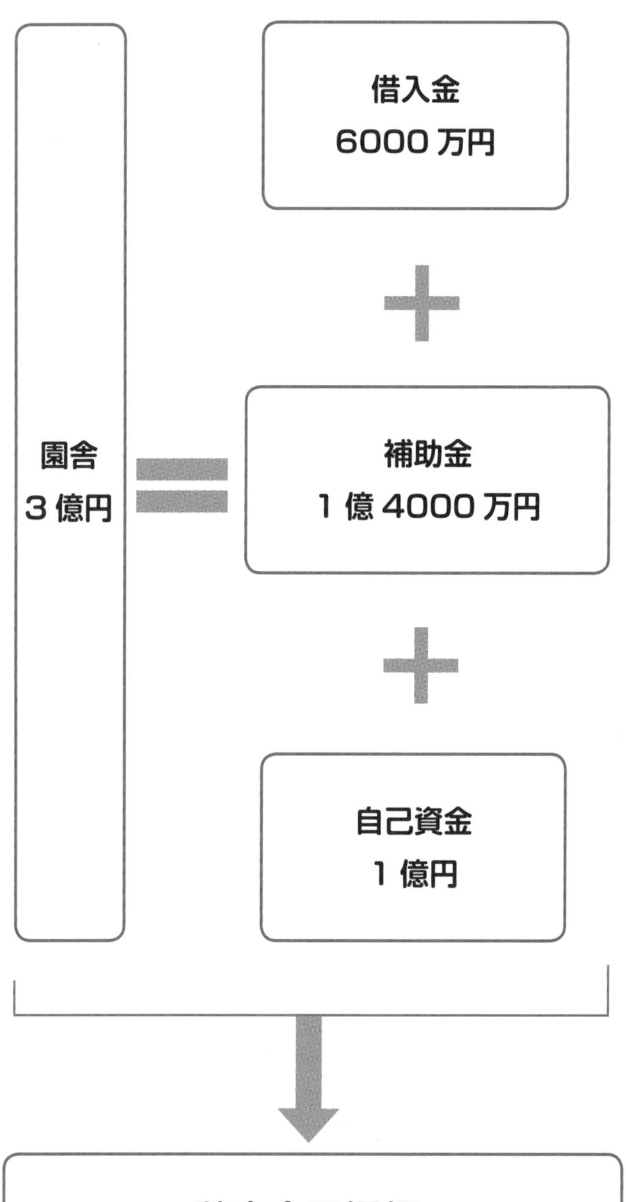

経営計画の浸透

経営計画の発表会

職員に経営計画を浸透させるためには、どうしたらよいでしょうか。

浸透させることによって、職員全員で園の理念や10年後の姿を共有できます。そのためには、次のようなことをおこなってみましょう。

・理事・職員・保護者会長などを集め、理事会後などの場で発表する。
・懇親会などで発表する。
・職員の表彰なども同時におこなう。

最初の発表は、定例の会議より特別な場面でおこなってみることで、より印象に残りやすくなります。また、例年の発表会の際に、経営計画目標達成優秀者への年間表彰などを取り入れるのもよいでしょう。

朝礼や会議に盛り込む

経営計画は、長期、中期、短期とあるように、短期は１年単位で策定します。個人目標（102ページ、「個人目標と人事考課」参照）にも関係するので、一度特別な場面で発表したあとは、職員の定例会議や評価発表、懇親会などと合わせながら、毎年くり返すことにより、徐々に浸透させていきます。

定例会議などでは、経営計画の達成状況を確認します。各種計画や報告の内容が経営計画に沿っているかをくり返し確認していくことで、よい点を伸ばし、改善点の反省を発表しながら、浸透させていきます（106ページ、「業務を管理するＰＤＣＡサイクル」参照）。

達成状況については、印刷物などを作成して職員に配っておくと効果的です。

経営者自らが行動して見せる

どんなによい理念や経営計画であっても、経営者がそれを実行している様子が職員や保護者、園児に見えなければ、浸透していきません。そのため、経営者自らが、日々の行動で実践することで浸透を図っていきます。経営者が手本として行動する姿が、だんだんと職員に伝わり、園の風土として定着していきます。

職員を育てるには、マニュアルや規則も必要ですが、それ以上に、経営者自身の人間力が問われます。職員は経営者の姿を見て成長するからです。「人は人を見て人となる」と言われるように、経営者のふるまいひとつで、その園の風土が形成されていくといっても過言ではありません。

個人目標と人事考課

個人目標の考え方

経営計画を職員に発表したあとは、職員が目標に向けて行動したくなるようにすることです。

人には達成感が必要です。しかし、いきなり大きな目標を掲げられたところで、それが達成可能であっても、意欲につながりません。10年先に実現可能なものより、日々実現可能な目標のほうが、モチベーションの向上や達成感、満足感につながります。

目標の達成には具体的な行動を記す必要があります。あいまいな目標や行動計画では、保護者のニーズ、または応えるべきニーズを選別して、対応していくことがむずかしくなります。

近年は人事考課を取り入れる園が増えてきました。職員のやる気向上につなげるためです。経営計画は、すべての職員が共有するべきですが、園の将来より目の前の仕事で手いっぱいという人が多いでしょう。職員が、いかに目標に向けて行動することができるかに、目を向けなければなりません。

個人目標を園の目標につなげる

職員全員が経営者的な意識をもつようにするのは容易ではありません。しかし、目標に向けた一人ひとりの行動が、結果的に理念の達成に結びつくのであれば、それは経営計画に沿った活動をしていることになります。

例えば、短期目標が「活気のあふれる園にする」であったとします。それをふまえて、ある職員の目標が「元気にあいさつをする」にしたとしましょう。元気にあいさつをすることで、職員が積極的に行動するような効果が期待されているなら、それは「活気のあふれる園にする」という園の目標に向けての行動になっています。

このように、個人ごとに決めた目標を、個人計画に落とし込んでみましょう。それを、個人に対する人事考課に取り入れます。

人事考課のポイント

多くの園においては、人事考課がいまひとつ効果を発揮できていないと感じているようです。なかには、制度は取り入れてはいるが、それが給与など目に見えるものに反映されているかがわかりづらく、形式的になっている場合も少なくありません。

はじめて取り組む際には、むずかしい人事考課を取り入れるよりも、なるべくシンプルにしてみましょう。業務に対しての評価も、そのとき、一瞬の対応に対してではなく、ある一定の期間を設けて判断するなど、大きな視点で見るとよいと思います。

そして、半年、１年と期間を設けて、自己評価と合わせて上司の評価を受けます。

人事考課は、数値化することで客観的に判断しやすくなります。数値化がむずかしい場合は、◎、○、△、や、A、B、Cなどの記号を使ってもよいでしょう。それをそのまま、給与や賞与に反映させていきます。例えば、◎１つ500円、○１つ300円、△１つ100円などのようにです。その場合、必ず理由を説明し、目に見える評価につなげていくことで、職員がより成長意欲をもつ風土をつくり上げることができます。

人事考課を取り入れることは、職員のやる気を高め、組織風土をよくします。職員の質を上げることは、選ばれる園になる土壌を築くことにつながるのです。

人事考課のポイント

①園のテーマ（目標）を決める
②それに基づく各職の方針を決める
③理念に基づいた行動をとれるか
　いくつか箇条書きにしておく
④各職の方針に沿った個人目標を
　具体的に記す
⑤一職員としての個人目標（成長目標）を
　具体的に記す

仕事のモチベーションは どのようにして引き出されるのか

人間の欲求とは

人間の欲求について、マズローというアメリカの心理学者が説いた「自己実現の理論」があります。人の欲求は、表Ａのピラミッドのように５段階に構成されているそうです。低階層の欲求が満たされると、より高い階層の欲求が現れるという考え方です。

いちばんの土台となるのは、人が生きるうえで最低限必要な衣食住などの「生理的欲求」です。それが満たされると、次の階層の安全に生活する「安全の欲求」が生まれます。衣食住と安全が確保できると、「親和の欲求」である仲間を得て、楽しい時間を過ごしたいと感じるようになります。周囲の人間とコミュニケーションをとるようになると、周囲から尊敬されたい、感謝されたいという「自我の欲求」が芽生えます。そして、自分らしく生きたいと思う、階層の最上段にある「自己実現の欲求」へと移行します。

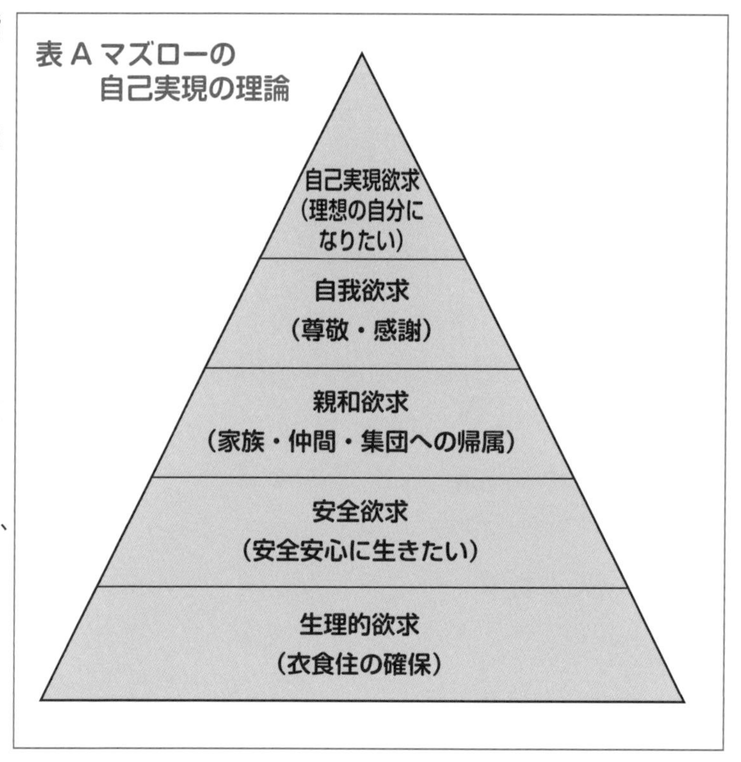

つまり人は、最低限の衣食住と

Column

安全が満たされることで、ひとまずの欲求が満たされていると感じるのだそうです。

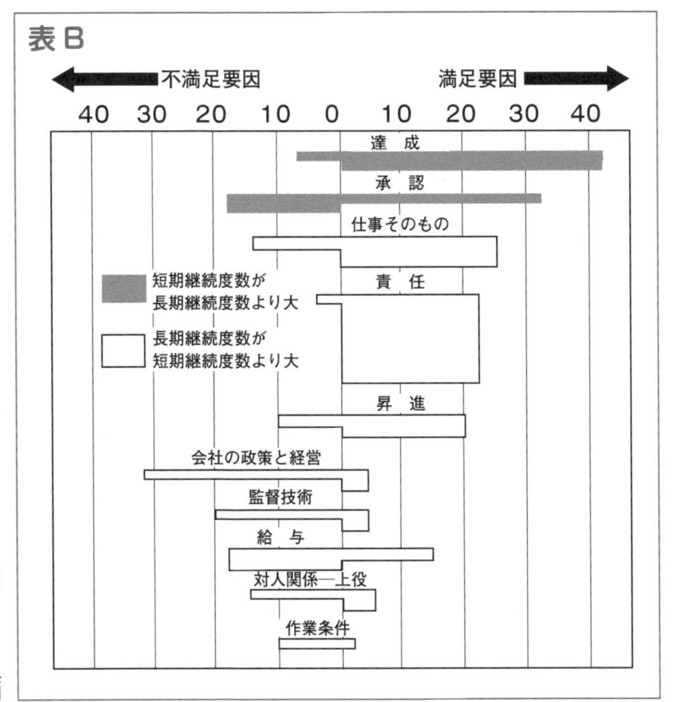

満足要因と不満足要因

では、仕事に対して前向きになるためには、どうすればよいのでしょうか。満足要因と不満足要因というものが、仕事へのモチベーションに深くかかわっています。

仕事においての満足要因・不満足要因でわかりやすいのは給与です。しかし、表Ｂを見ると、給与は少なければ不満足要因となりますが、一定以上多くても大きな満足要因にはなりません。それ以上に、目標を達成して認められることのほうが、満足度が高いとされています。

人が仕事に不満を感じるときは、給与や人間関係といった作業環境に注目しますが、仕事に満足を感じるときは、仕事そのものに注目しているのだそうです。こうしたことから、仕事の動機づけのためには、仕事の責任・達成・承認といったことが必要で、その満足度が上がることで、より高い業績につながっていくのだというのです。「自己実現の理論」から考えても、ある程度の生活と安全が約束されている状態のなかであれば、仕事が正当に評価されることこそが大切になるため、人事考課が力を発揮するといえます。

業務を管理するPDCAサイクル

PDCAサイクルとは

経営計画が、必ずしもその通りに進むとは限りません。その途中では、異なった実績になって当たり前です。大切なのは、計画と異なっている部分をくり返し反省して、計画の修正をしていけるかどうかです。それを十分に理解したうえで、計画に沿って実行していくのが望ましいやり方です。

「やりっぱなし」を防ぐために、結果や行動を検証するための仕組みづくりが必要になります。そこで登場するのが「PDCAサイクル」です。

「PDCAサイクル」とは、業務の管理手法のひとつで、計画(PLAN)→実行(DO)→評価(CHECK)→改善(ACTION)、という4段階の活動をくり返しおこなうことで、継続的にプロセスを改善していく手法です。

PDCAサイクルは継続的におこなうことでその効果を発揮します。反対に、このサイクルを実践せずにいると、経営計画は「絵に描いた餅」となってしまいます。

サイクルの回し方

４つのステップのなかで特に大事なのがＰとＣです。経営計画(P)があいまいだと、その後の実行(D)が見当はずれであっても、そのまま進めてしまうことになります。検証・評価(C)をせずにいると、改善(A)が計画に反映させられず、失敗を生かすことができないでしょう。

PDCAサイクルは、経営計画だけでなく、ふだんの事業計画や、教育計画、保育計画など、各種計画にも当てはまります。ヒヤリハット対策などは、そのよい例といえるでしょう。

PLAN
計画
目標や方針に対して、
実行可能な計画に落とし込む

DO
実行
計画に沿った行動をして、
進行状況を測る

CHECK
検証・評価
成果や達成を評価し、
成功や失敗の要因を分析する

ACTION
改善
改善や修正を施し、
経営計画に反映させる

計画のトレースと職員の主体性

計画のふり返り

個人年間計画まで落とし込んだ経営計画ができあがったら、園で決めた期間ごとに、目標のトレースをくり返します。トレースとは、計画が実行されていく過程を追跡し、ふり返ることです。

やり方としては、短期計画を基に個人の１年間の目標計画を定めて、定期的に検証・評価します。毎月だと頻繁すぎるので、自己評価という個人的な作業に絞って試みるとよいでしょう。

トレースの目的は、個人の成長と主体性の発揮にあります。「実行→反省→再計画」を主体的にくり返すことで、目標を達成できるようにしていきます。

主体性を育てるには

「職員の主体性がない」と嘆く経営者が少なくありません。そのような場合、よく見てみると、実は職員の主体性を引き出すための機会を、上司や先輩が奪っていることがあります。

主体性を発揮する機会とは、「自分で判断して答えを出す責任」を担うときです。例えば、何かの問題を解決するときに、問題の当事者（いちばん困っている本人）が自ら深く考え、本質的な問題に気づき、解決のための情報を集め、判断を巡らせて答えを出し、仲間に協力を働きかけながら実行するとします。こうした行動が、主体性を発揮している場面です。ただし、周囲の仲間が、当事者を絶対に孤立させないという共通認識をもっていることが前提です。

このように、計画のトレースは、問題を解決することで主体性を引き出すことにつながります。

もうひとつは、個人にそれができる能力があるかという問題があります。人によっては、主体性のもち方から教える必要があるかもしれません。

大正・昭和期の幼児教育研究実践家である倉橋惣三は、こういった言葉を残しています。

ねえ君、温室のように無理強いに咲かせるものでもないし、といってももちろん、野原のように野生のまま放任にしておくのでもないし、自然に成長して、自然に咲くべきものに、適当な培養を与えるのが君の仕事でしょう。

そこには、野生でない自然がある。温室でない培養がある。放任でない自由がある。抑圧でない管理がある。強要でない期待がある。

この言葉は、子どもに対しての保育者の心構えを説いているものですが、園の経営者と職員に対しても、同じことが言えるのではないでしょうか。

行動指針について

指針も文章化する

「園の理念」の達成のためには道がいくつもあるため、職員間に共通した、具体的な意思決定の方法や、行動のための基準である「行動指針」が必要になります。ブレないことが園と職員、園と保護者との信頼関係をつくります。それが、選ばれる園の基本です。

行動指針は、職員一人ひとりが日々の保育のなかで、とるべき態度、決めるべき事項、進むべき方向を考え、決定する指標です。

「園長・理事長＝園の指針」になっている場合、これにはマイナスの面が多くあります。例えば、その日の気分や感情に少なからず影響を受けるため、統一性がなくなったり、口頭での指示・注意・周知になることが多く、職員全員への周知にばらつきがでてしまうことが考えられます。

それを避けるために、文章化された行動指針が必要になるのです。しかし、最初から細かく設定することはむずかしいでしょう。少しずつ、項目別に対応方法を文章化してみてください。

一人の目標達成が全体へ

行動指針の意味を理解し、主体性をもてるようになると、しぜんと行動への意識が変わってきます。それは、行事、語りかけ、食育、保育、ふるまいなどに現れるようになります。他人から与えられた行動ではなく、自ら率先して行動することで、よりよい環境をつくり出せるようになるのです。

こうして、職員一人ひとりの目標達成が、園の目標達成につながり、園の風土がつくり上げられ定着していくことで、「選ばれる園」として、次のステップへと成長することができるでしょう。

職員の意識ひとつが、園の理念の達成につながる……それは、園の理念が職員に浸透しているから成り立つものであり、理念と職員の橋渡しをする役割が、「行動指針」と「経営計画」なのです。

行動指針作成のポイント

・具体的か（目標は明確になっているか）
・共有できるか（浸透しているか）
・本気で取り組めるか
　（反省、見直しはされているか）

行動指針
○あいさつは元気よく
○怒らず叱る
○姿勢を正しく
○毎日が参観日と思い、行動する

付録

トータルプランのための書式集

各種書式について

本書の第２章（75 ～ 108 ページ）で紹介している経営計画のための書式集です。
はじめての経営計画に役立つよう、要点を絞ったシンプルなものを用意しました。
書式はコピーするなどしてご活用いただけます。

各書式は、Microsoft Word で作成したデータを、
下記のホームページからもダウンロードできます。
A4 サイズで作成していますが、記入したい内容に合わせてサイズを変更したり、
項目等変更・追加するなどしてお使いください。

ダウンロードサイト
http://www.ans.co.jp/youho/
検索 幼保経営サービス

長期経営計画書

概要

10 年後の理想の園の姿を想定して作成したもの。

「理念の明確化」（78 ～ 79 ページ）、長期経営計画の作成ポイント（95 ページ）も参照する。

留意点

●社会情勢や環境の変化も考えられるので、抽象的な内容でよい。

記入方法

記入例です。

参考にご覧ください。

長期経営計画書

（10 年後の理想像）

計画日： 2015 年 4 月 1 日

1．園の理念

幼児の「美しい心」「健やかな体」「豊かな夢」を育てる

（「何を目指しているのか」「何のために存在しているのか」といった、将来に向けての園の社会的存在意義を考え、記入する。）

2．どのような園にしていきたいか・将来像・夢

「美しい心」・・・・・・あいさつのできる子、思いやりのもてる心
子どもの心をはぐくめる職員

「健やかな体」・・・・運動力の向上、食育への取り組み

「豊かな夢」・・・・・・・想像力、好奇心を楽しめるカリキュラム

（例えば、10 年後の園案内（パンフレット）で何をアピールしたいかを考え、記入する。）

園名： なかよし園

長期経営計画書

（10 年後の理想像）

計画日：　　　　年　　　月　　　日

1．園の理念

2．どのような園にしていきたいか・将来像・夢

園名：＿＿＿＿＿＿＿＿＿＿＿＿

環境分析表

概要

具体的な計画づくりの前に、現状の分析をおこなうための表。園を選ぶ保護者の目線になって考えるため、過去をふり返り、環境の変化を把握したもの。

詳細は「現状分析の方法」（96 ～ 99 ページ）も参照する。

留意点

●ここでの情報と対応方針が、中期計画作成のための資料となる。

●それぞれの項目が「園の理念」の達成に向かうよう配慮する。

●はじめは思いつくまま記入するとよい。自園に関係するか、しないかは、あとで考える。

記入方法

記入例です。

参考にご覧ください。

環境分析表

計画日：2015 年 4 月 1 日

	3年前	現在	このまま3年後	対応方針
（ア）外部 ①地区の現状、外部環境の変化 ②園への評価 ③保護者へアピールできること ④対象としたい保護者層 ⑤広告宣伝 ⑥今後の行政・制度の変化 ⑦その他考慮すべき外部要因	待機児童はなく園児も減少傾向。 職員教育に力を入れてきていたので対応への評価は高い。	マンション建設中だが、同時に近隣に認可外の園が増えてきている。 開園時間が長い。	園児増が見込めるが、対策をとらないと他園にとられる危惧がある。 補助金減の情報も。	広報活動に力を入れて、自園の存在を高める。 若い保護者層が多くなるので、対応方針も変化したい。
（イ）他園の状況 ①他園の特徴、差別化要因 ②教育・保育内容競争 ③地区の競合	認可外が増えてきた。 開園時間が長い。	保育・教育のレベルは自園より低い。	職員の回転が速いが、開園時間が魅力か?	環境分析表をもとに、検討。
（ウ）ニーズ ①保護者のニーズ ②地域のニーズ ③自園の応えていくニーズ	開園時間が長い園を希望する傾向にある。	保護者層が変化してきている。	若い保護者層が多くなる。	教育・保育のカリキュラムの見直し。
（エ）内部 ①自園の強み・弱み 他園より有利・不利なこと ②組織 ③設備の状況 ④財務・資金の状況 ⑤職員 A）目標に対する各自の能力 B）研修・育成・能力開発 C）採用状況 D）年齢構成 E）労働条件・賃金水準	従来の保護者層に対応した職員の育成に力を入れてきた。 設備は古いが、掃除に力を入れているし、安心・安全には自信がある。 賃金水準が低いのは悩み。	若い保護者への対応ができる職員の育成。 クレーム対応への強化中。 研修は多いが、賃金水準が低いままなので、離職率が心配。	定員割れをおこせば、賃金水準に影響が出ることは必至。 職員のレベル維持とともに、若い保護者にアピールできるわかりやすい魅力を検討したい。	園舎の改築には時間がかかるので、外観を変える取り組みまたは、ホームページで内部の魅力公開に力を入れる。 保護者支援を積極的におこない、入園希望者を増やす。
（オ）その他		園任せにならないような保護者の意識改革へ。		

園名：なかよし園

地域の状況や変化、園が対象にしたい保護者層、行政制度の現状および変化など。園の評価や広告宣伝には、アンケートや口コミなどの情報も含める。

近隣の競合園の情報。遠方から通園地区にバスが来ている園も含む。「競合園調査表」（114 ページ）も参考に。

顕在的なものと、潜在的なものとの２通り。87 ページを参考に。

自園の内部環境についての自己分析。「ヒト・モノ・カネ」という園の資産について、過去から現在を客観的に分析する。

３年前はどうであったか（過去からの推移を見直すことが目的）。

３年後に向けて「より伸ばす方針」「現状維持のための方針」「改善のための方針」など、項目ごとの対策について。

このままの状態なら、３年後はどうなっているかを想定して。

現在の状況について。

環境分析表

記入日：　　　年　　月　　日

	3年前	現在	このまま3年後	対応方針
（ア）外部 ①地区の現状、外部環境の変化 ②園への評価 ③保護者へアピールできること ④対象としたい保護者層 ⑤広告宣伝 ⑥今後の行政・制度の変化 ⑦その他考慮すべき外部要因				
（イ）他園の状況 ①他園の特徴、差別化要因 ②教育・保育内容競争 ③地区の競合				
（ウ）ニーズ ①保護者のニーズ ②地域のニーズ ③自園の応えていくニーズ				
（エ）内部 ①自園の強み・弱み 他園より有利・不利なこと ②組織 ③設備の状況 ④財務・資金の状況 ⑤職員 A)目標に対する各自の能力 B)研修・育成・能力開発 C)採用状況 D)年齢構成 E)労働条件・賃金水準				
（オ）その他				

園名：

競合園調査表

概要

近隣の園、または近隣まで送迎バスを走らせている少し遠くの園など、競合園について各項目に分解し、まとめることによって、その地域全体における自園の立ち位置を見つめ直したもの。これによって、ニーズに対応した計画づくりができるようになる。

留意点

- ●自園が対応できるニーズ、競合園では取り組みにくいニーズについて考える。
- ●ニーズ対応のために活用できる（育てることができる）資産について考える。
- ●項目は、自園の状況に合わせて、変更・追加する。

記入方法

記入例です。参考にご覧ください。

競合園調査表

計画日： 2015 年 4 月 1 日

	自園	A園	B園	C園	D園
園名		○○保育園	△△保育園	□□幼稚園	☆☆園
種別	幼稚園	保育園	保育園	幼稚園	幼稚園
園児数	120名	60名	90名	180名	270名
0歳	0名	6名	8名	0名	0名
1～2歳	プレ有	20名	30名	0名	プレ有
3歳以上	120名	34名	52名	180名	270名
ここ数年の園児数の増減	減少	変化なし	変化なし	増加	減少
通園範囲	徒歩圏内	徒歩圏内	少し遠い	徒歩圏内	駅に近い
バス送迎エリア	バスなし	狭い	バスなし	広範囲	広範囲
ハード面					
全体のイメージ	明るい	暗い	普通	楽しそう	賑やか
建物	築 10 年	古い	普通		普通
玄関	普通	狭い	普通	きれい	広い
園庭	広い	狭い、公園利用		普通	普通
遊具	普通	少ない	古い	新しい	木製が多い
駐車場	なし	少ない	なし	普通	広い
園周りの看板	普通	目立たない	古い	かわいい	特になし
周辺の看板	特になし	目立たない	わかりやすい	かわいい	なし
制服の評判	普通	なし	良い	良い	普通
制服の価格	普通	なし	高い	普通	安い
送迎バス（有無）	無	有	無	有	有
バスの装飾		普通（黄）		キャラクター	キャラクター

	自園	A園	B園	C園	D園
ソフト面					
園長の評判	普通	良い	普通	普通	普通
職員の評判	良い	良い	良い	普通	普通
年間行事	普通	普通	普通	良い	普通
入園説明会時期	普通	早め	早め	早め	遅い
入園説明会回数	1回	随時	1回	2回	2回
保護者面接	普通	普通	良い	普通	普通
保護者負担活動	有	無	無	有	有
保護者向け行事	有	無	無	有	無
費用					
月額料金	普通	国基準	国基準	高め	普通
他負担金	有（　円）	有（　円）	無	有（　円）	有（　円）
入園料	有（　円）	無	無	有（　円）	有（　円）
給食・弁当	有	有	無	有（　円）	弁当
広報活動					
入園案内	カラー2P	コピー	コピー	カラー2P	カラー4P
チラシ	無	無	無	無	有
ポスター	無	無	無	無	有
HPの評判	良い	良くない	HPなし	良い	普通
HPの更新頻度	頻繁	少ない	無	良い	普通
良い評判	広い園庭	頼もしい職員	広い園庭	教育・親受け良	のびのび活動
悪い評判	何でも普通	古い園舎	行事が地味	園児に厳しい	職員入替多い
自園に勝る点		魅力ある行事	運動会が派手	教育が強い	宣伝力有
自園に劣る点		園庭の狭さ	教育が不足	親負担多い	職場環境

園名： なかよし園

競合園調査表

記入日：　　　年　　　月　　　日

	自園	A園	B園	C園	D園
園名					
種別					
園児数					
0歳					
1～2歳					
3歳以上					
ここ数年の園児数の増減					
通園範囲					
バス送迎エリア					
ハード面					
全体のイメージ					
建物					
玄関					
園庭					
遊具					
駐車場					
園周りの看板					
周辺の看板					
制服の評判					
制服の価格					
送迎バス（有無）					
バスの装飾					

	自園	A園	B園	C園	D園
ソフト面					
園長の評判					
職員の評判					
年間行事					
入園説明会時期					
入園説明会回数					
保護者面接					
保護者負担活動					
保護者向け行事					
費用					
月額料金					
他負担金					
入園料					
給食・弁当					
広報活動					
入園案内					
チラシ					
ポスター					
ＨＰの評判					
ＨＰの更新頻度					
良い評判					
悪い評判					
自園に勝る点					
自園に劣る点					

園名：＿＿＿＿＿＿＿＿＿＿＿＿

中期経営計画書

概要

長期経営計画を達成するために具体的な施策を決定し、実行していくためのもの。
１０年後の目標を現実にするために、３年ごとの計画を作成する。

留意点

●必要に応じて変更を加えてもよいが、根本的な部分はブレないようにする。
●すぐにとりかかれない施策は、実行できない年度があってもかまわない。
●項目は、自園の状況に合わせて変更・追加する。

記入方法

長期経営計画を基に記入する。

長期計画に向けて、３年後に達成すべき目標を決定する。

３年間でするべきこと、また成長させるべき資産の施策。
具体的に記入し、短期経営計画や個人計画の基になるようにする。
環境分析表や、競合園調査表を基に決める。
成果と反省を毎年度くり返すことで、必要に応じて変更を加える。

資金計画
財務的に耐え得る施策であるか、資産の成長を促すことができるか（財産そのものの蓄積も含む）を管理、確認する。
単年度ごとの収支差額は、プラスになるような計画にする。

例えば、職員の意識向上のための研修に100万円を投資するとか、新しい行事をおこなうための初期費用として50万円かかるなど、資産成長に必要な例年にない計画のことを指す。

中期経営計画書

計画日：　　年　　月　　日

園の理念
１０年後の園の将来像（夢・どのような園にしていきたいか）
中期（３年後）の目標（あるべき姿）
そのための施策 ① ② ③

期別中期施策	年度		年度		年度	
①施策						
成果・反省						
変更						
②施策						
成果・反省						
変更						
③施策						
成果・反省						
変更						
計数目標	予算	実績	予算	実績	予算	実績
園児数						
収入（主要科目）						
保育料						
補助金等						
支出						
人件費						
事業費						
事務費						
収支差額						
収支差額の使途						
投資計画						
備考						

園名：

中期経営計画書

計画日：　　　年　　月　　日

園の理念

１０年後の園の将来像（夢・どのような園にしていきたいか）

中期（３年後）の目標（あるべき姿）

そのための施策
①
②
③

期別中期施策	年度	年度	年度
①施策			
成果・反省			
変更			
②施策			
成果・反省			
変更			
③施策			
成果・反省			
変更			

計数目標	予算	実績	予算	実績	予算	実績
園児数						
収入（主要科目）						
保育料						
補助金等						
支出						
人件費						
事業費						
事務費						
収支差額						
収支差額の使途						
投資計画						

備考			

園名：

短期経営計画書

概要

1 年ごとに、施策を具体的に行動に移すために計画したもの。

PDCA サイクル（106 ページ参照）を考慮して作成する。

これを基に、個人計画や事業計画などを作成していくことになる。

作成のための年間スケジュール

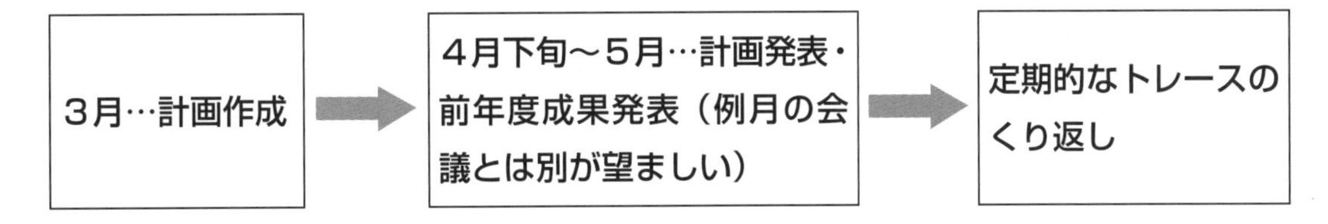

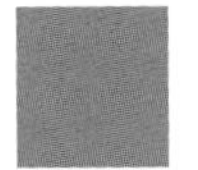

留意点

●施策のトレースは 3 か月で区切っているが、園の状況に応じて期間を変更してもよい。

●計数目標は中期経営計画から転記できるところは、そのまま記入する。

記入方法

その年度の重点計画を記入する。中期経営計画を基にした主要施策をまとめたものか、総合的に考えて、これだけは大事だと思うものなど。

5 項目程度の箇条書きに。中期計画との整合性に配慮する。責任者の選出も合わせて検討する。

年度経営計画書

計画日：　　年　　月　　日

重点計画

主要施策
①
②
③
④
⑤

1／4期行動計画	4～6月	7～9月	10～12月	1～3月
①（計画内容） （責任者）				
変更				
成果・反省				
②（計画内容） （責任者）				
変更				
成果・反省				
③（計画内容） （責任者）				
変更				
成果・反省				
④（計画内容） （責任者）				

中期経営計画を基に数値を記入する。
園児数やそれに伴う収入の見込み、その年度の支出では特に力を入れていることなどを備考欄に記入する。

計数目標

	予算・計画	実績	備考
園児数			
収入（主要科目）			
保育料			
補助金等			
支出			
人件費 事業費 事務費			
収支差額			
収支差額の使途			
投資計画			

当年度の総合的な成果・反省（1年間を通して）

成果・達成状況	
反省・来期への課題	
次年度目標 （来期に向けて）	

園名：

目標ごとの積立金がどの程度できるか把握する。

例年にはない支出を計画的に予算計上することができるよう、費用のかかる支出について特記する。

1／4期ごとの行動計画と、それをトレースしていく変更・成果・反省の項目。いつまでにどこまでやるかを明確にし、1／4期に実行成果と反省（検証）をくり返し確認し、次期の変更・改善を記入する。

各項目に、年間の総合的な評価を記載する。その成果・反省をふまえ、来期への課題と目標を定め、来年度の短期経営計画の基とする。

年度経営計画書

計画日：　　　　年　　月　　日

重点計画

主要施策

①

②

③

④

⑤

1／4期行動計画	4～6月	7～9月	10～12月	1～3月
①（計画内容） （責任者）				
変更				
成果・反省				
②（計画内容） （責任者）				
変更				
成果・反省				
③（計画内容） （責任者）				
変更				
成果・反省				
④（計画内容） （責任者）				
変更				
成果・反省				
⑤（計画内容） （責任者）				
変更				
成果・反省				

計数目標

	予算・計画	実績	備考
園児数			
収入（主要科目）			
保育料			
補助金等			
支出			
人件費 事業費 事務費			
収支差額			
収支差額の使途			
投資計画			

当年度の総合的な成果・反省（１年間を通して）

成果・達成状況	
反省・来期への課題	
次年度目標 **（来期に向けて）**	

園名：

個人計画書

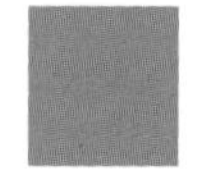

概要

長期、中期、短期それぞれの経営計画からつながる、個人の経営計画。

PDCA サイクル（106 ページ参照）を考慮して作成する。

その年度での、個人目標と具体的な行動計画を書き込む。

作成のための年間スケジュール

3月…計画作成（短期計画作成後）
→ 4月下旬～5月…計画発表・前年度成果発表（例月の会議とは別が望ましい）
→ 定期的なトレースのくり返し

留意点

●年間行動目標のトレースは 3 か月で区切っているが、園の状況に応じて期間を変更してもよい。

●金銭的な目標欄は設定しない。

記入方法

その年度の重点目標を記入する。

5 項目程度の箇条書きに。経営計画との整合性に配慮する。年度末評価につながるよう、責任者と一緒に作成する。

年度個人計画書

計画日：　年　月　日

重点目標

年間行動目標
①
②
③
④
⑤

1／4期行動計画	4～6月	7～9月	10～12月	1～3月
①（行動目標）				
自己評価・反省				
園長・主任より				
②（行動目標）				
自己評価・反省				
園長・主任より				
③（行動目標）				
自己評価・反省				
園長・主任より				
④（行動目標）				

1／4期ごとの行動計画と、それをトレースしていく自己評価・反省の項目。定期的に責任者と行動状況を確認し、成長の程度を把握する。

行動目標の成果を年間を通して見直し、評価する。達成すれば次のステップへ、未達成であれば翌年度に改善を。備考欄には、具体的な内容を残し積み重ねることで、成長の記録となる。

年間評価（◎・○・△・×）

行動目標	自己評価	園長評価	備考
①			
②			
③			
④			
⑤			

反省および次年度へ向けて（1年間を通して）

成果・達成状況	
反省・来期への課題	
次年度目標（来期に向けて）	

各項目に、年間の総合的な評価を記入する。その成果・反省をふまえ、来期への課題と目標を定め、来年度の短期経営計画の基とする。

年度個人計画書

計画日：　　　　年　　　月　　　日

重点目標

年間行動目標
①
②
③
④
⑤

1／4期行動計画	4～6月	7～9月	10～12月	1～3月
①（行動目標）				
自己評価・反省				
園長・主任より				
②（行動目標）				
自己評価・反省				
園長・主任より				
③（行動目標）				
自己評価・反省				
園長・主任より				
④（行動目標）				
自己評価・反省				
園長・主任より				
⑤（行動目標）				
自己評価・反省				
園長・主任より				

年間評価（◎・○・△・×）

行動目標	自己評価	園長評価	備考
①			
②			
③			
④			
⑤			

反省および次年度へ向けて（１年間を通して）

成果・達成状況	
反省・来期への課題	
次年度目標 （来期に向けて）	

園名：

単独項目計画書

概要

経営計画のように全体から作成するものではなく、経営計画とは別に１つの項目に着目して、その項目の環境分析や成長を促すための計画。

「これに力を入れたい」「この項目について改善を図りたい」という事項を取り上げる。

留意点

- 自園の状況をしっかり把握し、自園に何（資産）があるのか、何が必要か、何をつくっていかなければいけないかを決める。
- 「項目」によって、「現状分析」の必要な内容は異なる。

記入方法

第１章（10～73ページ）を参考に、自園にとって必要な項目を決める。

３年で設定しているが、５年でも10年でも状況や考え方に合わせて変更する。
環境分析表（112ページ）を起点に考えるのもよい。

選んだ項目について今年度に何を、どこまでやるかを明記する。

112ページの「環境分析表」の記入方法を参考にする。

目標を達成するために必要な具体的な施策をいくつか明記する。

●期初
１／４期ごとに計画を分解し、計画の目標を決める。
●期中
担当者・責任者とともに、１／４期ごとの計画を見直し、実行成果と反省（検証）をおこなう。
必要があれば今後の期で変更・改善し、年間では今年度の達成目標が達成できるようにする。

年度単独項目単年度計画書

計画日：　　年　　月　　日

項目				
現状分析（項目に対して）	３年前	現在	このまま３年後	対応方針
（ア）外部				
（イ）他園の状況				
（ウ）ニーズ				
（エ）内部				
（オ）その他				
達成目標				

施策・テーマ	責任者
①	
②	
③	

１／４期行動計画	４～６月	７～９月	１０～１２月	１～３月
①（計画内容）				
変更				
成果・反省				
②（計画内容）				

年度単独項目単年度計画書

計画日：　　　年　　月　　日

項目				
現状分析（項目に対して）	3年前	現在	このまま3年後	対応方針
（ア）外部				
（イ）他園の状況				
（ウ）ニーズ				
（エ）内部				
（オ）その他				
達成目標				

施策・テーマ	責任者
①	
②	
③	

1／4期行動計画	4～6月	7～9月	10～12月	1～3月
①（計画内容）				
変更				
成果・反省				
②（計画内容）				
変更				
成果・反省				
③（計画内容）				
変更				
成果・反省				

園名：

●参考文献・資料

『よい保育施設の選び方　十か条』厚生労働省児童家庭局保育課
『経営計画策定スライド』経済産業省
『経営戦略の論理』日本経済新聞社

●編著者プロフィール

【執筆者】

柴田豊幸（しばたとよゆき）

株式会社チャイルド社代表取締役社長
青山学院大学卒業後、第一勧業銀行（現みずほ銀行）を経て 1977 年に（株）チャイルド社に入社。1990 ～ 1996 年には越谷保育専門学校の講師を務める。子どもや園のことを系統的に学ぶため、2011 年保育士資格を取得。現在は、（株）チャイルド社・（株）幼保経営サービス・彩兒島有限公司（香港）・彩兒島幼教産品有限公司（北京）などの代表取締役社長、（株）三恭（保育園パピーナ８園を運営）総園長を務める。社会福祉法人はじめ会高の葉保育園理事長、杉並区子ども子育て会議委員、杉並区社会福祉協議会理事。
チャイルド社の『選ばれる園シリーズ』では企画監修を務め、主な著書に、『選ばれる園になるための保育者研修』（チャイルド社、共著）『あなたを悩ます話してもわからない人』『やさしいあなたが苦しまないための非常識クレームへの対応法』（幻冬舎、共著）ほか多数。

戸村隆之（とむらたかゆき）

専修大学卒業。株式会社幼保経営サービスへ入社後、社会福祉法人会計・保育園会計業務を中心に、法人運営コンサルタントとして園のトータルサポートに従事している。通信講座「社会福祉法人・保育園のための会計業務」の執筆にも携わっている。

【編集協力】

神戸敏文（かんべとしふみ）

株式会社チャイルド社常務取締役
東京大学卒業後、1985 年に第一勧業銀行（現みずほ銀行）に入行。1988 年に厚生省（当時）に出向。銀行においては本部企画部門管理者、都内支店長などを歴任し、経営計画の策定にも参画。現在は、（株）三恭（保育園パピーナ８園を運営）の常務取締役総務・人事部長を兼務。2017 年に保育士資格取得。主な著書に『選ばれる園になるための保育者研修』（チャイルド社、共著）がある。

【協力】

株式会社 時設計

株式会社 幼保経営サービス

選ばれる園になるための実践マニュアル
園の質の向上を目指したトータルプラン

2015年7月　初版発行
2017年12月　第3刷発行

編著者：柴田豊幸　戸村隆之
編集協力：神戸敏文
協　力：株式会社 時設計　株式会社 幼保経営サービス
装丁・デザイン：芝山雅彦（スパイス）
イラスト：すみもとななみ
校　閲：滄流社
編　集：こんぺいとぷらねっと

発行者：柴田豊幸
発行所：株式会社 チャイルド社
〒167-0052 東京都杉並区南荻窪4-39-11
TEL 03-3333-5105　http://www.child.co.jp/
印刷・製本所：カシヨ株式会社